Une duchesse à Ogunquit

Claude Jasmin

Une duchesse à Ogunquit

Présentation de André Goulet

BIBLIOTHÈQUE QUÉBÉCOISE

Bibliothèque québécoise inc. est une société d'édition administrée conjointement par la Corporation des Éditions Fides, les Éditions Hurtubise HMH Ltée et Leméac éditeur.

Données de catalogage avant publication

Jasmin, Claude, 1930-

Une duchesse à Ogunquit

Éd. originale: Outremont, Québec: Leméac, 1985.
Publi. à l'origine dans la coll.: Collection Roman québécois.

ISBN 2-8940-6083-1

I. Titre.

PS8519.A85D83 1993 C843'.54 C93-096528-0
PS9519.A85D83 1993
PQ3919.2.J37D83 1993

DÉPÔT LÉGAL : DEUXIÈME TRIMESTRE 1993
BIBLIOTHÈQUE NATIONALE DU QUÉBEC

ISBN : 2-8940-6083-1

Un as de cœur

Le roman policier est un art du temps, proche en cela de l'opéra, avec sa multitude de voix qui traînent, voix tourmentées bien souvent, qui repoussent de leur mieux le moment du plus complet aveu, tardent, pour ainsi dire, à *se mettre à table*, à *casser le morceau*. Tout le contraire, en somme, de la libido, cette « démangeaison voluptueuse », nous dit Juvénal, qui « n'admet pas de délai[1] ». Car le polar vit de la nuit, de la lumière non faite, du *délai*, justement, plus ou moins long, qu'implique toute quête de vérité. En un mot, il craint le jour comme le vampire.

Heureusement, il est toujours un petit point rouge, lumineux de surcroît, qui tôt ou tard fait son apparition dans cette nuit terrible où chaque ombre est suspecte et la paranoïa, contagion : il s'agit bien sûr du légendaire mégot rallumé, ou encore du fourneau d'une bonne vieille pipe bien bourrée, que suce ou mâchouille, on l'aura compris, quelque astucieux détective venu éclairer les premiers pas du lecteur, à qui il faut à tout prix donner quelques indices porteurs d'un espoir basal, question de mettre la « machine à suspicion générale[2] » en marche.

---

1. Juvénal, *Satires*, 6, 314.
2. Claude Jasmin, *Des cons qui s'adorent*, Montréal, Leméac, 1985, p. 140 (ouvrage désormais appelé CA, suivi du numéro de page).

Car si l'éclatement de la vérité est l'ennemi juré du roman policier, sa quête, menée à la fois par le lecteur et le détective, n'en demeure pas moins le moteur véritable. C'est donc à coup de quêtes et d'enquêtes que surgira peu à peu le récit caché derrière tout polar, que poindra enfin cette précieuse vérité qui, comme la vie, a la fâcheuse habitude de montrer plus d'un front. Ainsi, ce n'est pas un, mais plusieurs dénouements que commande ce genre de récit. Cela, Claude Jasmin l'a parfaitement compris.

De fait, il n'y a pas, dans les polars de Jasmin, de *rebondissements* à proprement parler. Chez cet auteur, le mal, en quelque sorte caché sous les fleurs, tire plutôt une langue frétillante qui se révèle toujours pour le moins bifide. C'est pourquoi chaque *rebondissement* prend figure d'un *dénouement* : on n'y résout pas une affaire complexe aux tours ténébreux et souvent compliqués, mais plusieurs affaires imbriquées les unes dans les autres. Soulever la roche est une chose ; capturer la visqueuse anguille qui s'y cache en est une autre. Ce en quoi le détective Asselin, *alter ego* de l'auteur, est passé maître.

En effet, pour Charles « l'As » Asselin, « policier-pigiste » à la préretraite, chapeau comme il se doit, cigarillo au bec et bouteille de pastis en poche, anti-héros peu banal, en somme, qui avoue n'avoir rien « de ces increvables détectives imaginaires capables de dénouer les fils d'inextricables complots[3] », mais qui sait néanmoins « faire parler les pierres[4] », pour ce vieux limier, la « grosse » affaire n'existe pas. Toujours, « il se dit qu'au

---

3. Claude Jasmin, *Alice vous fait dire bonsoir*, Montréal, Leméac, 1986, p. 133 (AFDB).
4. Claude Jasmin, *Safari au centre-ville*, Montréal, Leméac, 1987, p. 92 (SCV).

lieu d'une ténébreuse affaire [...], il peut y avoir une affaire toute simple : un immense chagrin d'amour terrible, et puis, un geste fou[5] ». « Grand romantique, va ! » plaisante sa femme Rolande, qui comprend mal l'obstination de Charles à toujours chercher *à côté* de l'affaire. C'est que le vieux limier en a vu d'autres.

« Mon jeune ami, de nos jours, il n'y a plus de western », confie Charles Asselin dans *Le crucifié du Sommet-Bleu* [6], premier d'une série de cinq romans mettant en scène l'as des détectives. C'est là, au cours de cette enquête pour le moins inusitée (la dépouille d'un homme est découverte, ligotée sur la croix du Sommet-Bleu), qu'est brossé en long et en large le portrait de Charles Asselin, que sont révélés ses goûts, ses valeurs, son amour pour « sa tendre Rolande », ses vingt-cinq ans de métier au sein de la Sûreté du Québec, sa venue forcée à la préretraite et une foule d'autres détails, dont celui-ci, en apparence insignifiant, central pourtant : « À sa préretraite, il avait décidé de se passer de voiture. Il était devenu un fervent de la marche à pied » (CSB, 20). Comme si cette seconde vie d'Asselin, celle du préretraité, appelait un second temps, comparable à ce « doux temps des souvenirs » dont il est question, pas n'importe où, mais dans le dernier roman de la série, dernière affaire que démêle un Asselin blasé par ce « fichu métier » d'enquêteur avant de remettre sa démission, la chance pour lui, enfin, de devenir ce qu'il voulait devenir plus jeune, à savoir un écrivain. Les projets de ce

---

5. Claude Jasmin, *Une duchesse à Ogunquit*, Montréal, Leméac, p. 137 (DO).
6. Claude Jasmin, *Le crucifié du Sommet-Bleu*, Montréal, Leméac, 1984, p. 43 (CSB).

nouvel adepte de la faune littéraire ? Revenir précisément à ce « doux temps » passé en écrivant les *Mémoires d'un vieux limier*. Voilà pourquoi le refus d'Asselin de monter en voiture chaque fois qu'il veut ou doit méditer ou simplement remettre de l'ordre dans ses idées ; cet appel de la nature qui maintes fois le détourne de son travail et l'oblige à tout moment à se « secouer » ; ou encore les nombreux souvenirs qui l'assaillent alors qu'il tente de démêler une sordide affaire dans Villeray, le quartier de son enfance ; tout cela tient moins du ralentissement, cause de la vieillesse (« je dois vieillir », se répète sans cesse Asselin), que de la tranquille amorce d'un long parcours, qui va de l'homme pressé de se « débarrasser de la moindre charge » (SCV, 140) à l'émergence du patient créateur ; du « "voyeur" de la vie des autres » (AFDB, 81) à l'auteur de la sienne propre ; du drame public au récit intime. Fait significatif, la mystérieuse mission qu'on lui confie, dans *Alice vous fait dire bonsoir*, oblige Asselin à prendre la plume et à correspondre avec une certaine Marlène dont on ne sait à peu près rien, sinon qu'elle veut tout savoir des voisins de son « futur logis » (faux prétexte, imaginé par un Asselin tenu dans la plus stricte ignorance). L'expérience plaira tellement à Asselin qu'il s'imagine déjà en train de « composer un bouquin » où il rassemblerait tous ses « souvenirs » (AFDB, 61). Au fond, le désir autobiographique d'Asselin étonne peu, la vie, comme le reflux de la mer, ayant toujours, chez lui, laissé de nombreux sillons sur le sol de ses enquêtes.

Il n'en va pas autrement dans *Une duchesse à Ogunquit*, second roman de la série, où la mission d'Asselin est, d'une certaine manière, *double* : d'une part, ramener rapidement et discrètement d'Ogunquit la fille d'un sous-ministre, Danielle Palazzio, ex-duchesse au

Carnaval d'hiver de Québec, peut-être mêlée à un trafic de drogue dans le Maine (ce qui risque fort de salir la réputation de son père) ; d'autre part, rentrer, comme promis, au plus tard le lendemain matin, pour aller visiter, au bras de « sa chère Rolande », les fermettes de Sutton où le couple compte peut-être s'installer un jour. Le hic, en fait le premier, c'est que la mission d'Asselin s'avère en quelque sorte impossible (je vous laisse découvrir pourquoi). L'autre hic, qui donne à ce roman son ton particulier, c'est que Dubreuil, l'« employeur habituel » d'Asselin, sans préavis, lui *colle* un « second » à la « cervelle d'oiseau », vraisemblablement sorti d'un film de Lynch : dents longues toujours « à l'air », cet éternel mâchouilleur de gomme « baloune » rose, ce « chauffeur » (l'expression est d'Asselin) fait à peine dix ans malgré sa forte stature et ses « trente ans betôt ». Son nom : Brigadier ! Son rôle : seconder Asselin, bien sûr, mais par-delà, donner lieu à de magnifiques duels où sera confrontée la méthode d'un jeune caporal prometteur, à celle, maintes fois éprouvée, d'un vieux limier à la réputation on ne peut plus solide. Et en quoi consiste l'inébranlable méthode de ce dernier ? « Simple : soupçonner tout le monde. Sans aucune exception. Ensuite, procéder par élimination » (CSB, 33). Évidemment, ce cher Brigadier, qui connaît ou a connu Danielle Palazzio (ce qu'Asselin n'apprend que tardivement) et qui, de ce fait, pourrait être mêlé au réseau de trafiquants, n'échappera pas à la méfiance de son « chef », lequel tâchera toutefois de n'en rien laisser paraître, de conserver, autant que faire se peut, comme il doit le faire devant tout suspect, ce « masque pratique aux couleurs de l'amabilité, voire de la courtoisie » (CSB, 28).

On l'aura deviné, ce Brigadier, outre qu'il tient fièrement et assez habilement le volant de la Buick

« organisée » et « banalisée » fournie par la Sûreté, ne sera pas d'un grand secours dans l'avancement de l'affaire. Vacancier aux « deux lourdes enveloppes d'habillement » (DO, 47), Brigadier est plutôt du genre à rouler trop vite (« Modérez un peu, c'est un ordre ! » le réprimande sans cesse Asselin), à faire crisser les pneus au démarrage, pis encore, à « jouer » le flic dur, à se faire son propre cinéma, bref, à s'éloigner par trop de la réalité. Ce « poids plume », comme le juge secrètement Asselin, certes travaille à la même enquête que son « chef », mais pas sur le bon terrain. Loin de coller aux faits comme son acolyte rival, il se laisse plutôt emporter par une imagination passablement débridée. La modestie d'Asselin, qui à la version du trafic de drogue international préfère celle du classique triangle amoureux, a de quoi refroidir le fier caporal : « l'As-Asselin, conclut-il amèrement, n'a guère d'*imagination* » (DO, 162, je souligne).

On le voit, Brigadier est une vedette, un être « d'avant-scène » qui ne peut souffrir longtemps de rester *derrière*, comme l'exige la modeste et patiente filature. C'est pourquoi, le plus souvent, les suspects, comme l'huître, se ferment durement en présence de cet escogriffe. Ce qu'Asselin finit par lui mettre sur le nez :

> *Brigadier, écoutez-moi bien, dans ce métier, pour réussir, il faut de la compassion. Vous savez ce que c'est ? C'est une pitié ordinaire, commune, de la sympathie pour tout le monde. Pour les suspects aussi. Je crains que vous restiez un « adjoint » toute votre carrière* (DO, 190-1).

Combat civilisé, s'il en est, mais combat tout de même.

Ainsi donc, lequel, d'Asselin ou de Brigadier, sortira vainqueur de cette affaire ? La réponse paraît sans équivoque. D'autant qu'Asselin a une bonne longueur d'avance sur le jeune caporal, moins en raison de sa longue expérience, que de l'amour qu'il possède, tout simplement. L'amour, oui, ce tumultueux tourment que Van Dine, dans ses vingt règles d'or[7], proscrivait, sans procès aucun, du roman policier, de peur qu'il ne vienne « déranger le mécanisme du problème purement intellectuel », propre au genre. Or, ce mécanisme est en tout point absent de l'œuvre de Jasmin. Pis encore, l'auteur risque, aux yeux des lecteurs de Van Dine et des tenants de son école, de sembler « malhonnête ». De fait, Jasmin ne se garde aucunement d'incriminer, contrairement à ce que stipule la dixième règle d'or, un personnage « qu'il vient d'introduire ou qui a joué dans l'intrigue un rôle tout à fait insuffisant ». Déloyal, me direz-vous ? Eh bien non. Seulement, avec Jasmin, qui se moque des règles, le polar cesse d'être un *jeu*. Ses personnages aiment, trichent, craignent, haïssent, aident, supportent, hélas, tuent parfois aussi. Mais jamais froidement. Jamais fièrement non plus. Plutôt par désarroi, platement, sans héroïsme. Le crime, Asselin l'apprend à ses dépens et de périple en périple, n'a jamais pour autre mobile que l'amour, entendu au sens large du terme. De ce même amour qui, chez un homme de loi comme Asselin, constitue au contraire le seul point d'ancrage fiable ; qui replonge l'enquêteur, aux prises avec une foule d'ombres suspectes, dans une réalité toute simple, voire rassurante (« Rolande n'apprécierait pas », se dit Asselin, alors qu'il asperge de vinaigre des

7. À cet égard, on consultera, avec profit, le cinquième chapitre de l'ouvrage de Thomas Narcejac : *Le roman policier: une machine à lire*, préface de F. Le Lionnais, Paris, Denoël/Gonthier, 1975, p. 95 et sq.

frites bien grasses) ; qui, enfin, stoppe, pour un temps du moins, la folle aiguille de la satanée « machine à suspicion générale », qui n'a de cesse de courir en tous sens, en quête d'un nord perdu.

En ce sens, oui, Brigadier sortira lui aussi vainqueur de cette affaire, puisqu'il trouvera, avant même que celle-ci n'arrive à son terme, l'amorce d'une liaison véritable.

André Goulet

1

Le jeudi 2 septembre, au début de l'après-midi, Asselin avait trouvé bizarres les propos du directeur de la Sûreté le faisant demander de toute urgence au palais de Justice, rue Saint-Laurent, à Montréal.

Maintenant qu'il est devant lui dans ce vaste bureau du ministère, il comprend pas mal mieux de quoi il retourne. Étant donné sa grande expérience, « votre sagesse aussi », avait spécifié le sous-ministre présent à cette convocation ultra-secrète, « on a cru bon de faire appel à vos services ». Une mission délicate : retrouver une script-girl de télévision partie en vacances dans le Maine depuis une quinzaine, et, sans la bousculer ni l'énerver, la ramener le plus tôt possible dans la métropole.

En sortant du bureau feutré, Charles fourre dans une chemise de carton fort la photo et les coordonnées de cette jeune vacancière d'Ogunquit. Danielle Palazzio, née dans la Vieille Capitale, est une très jolie brunette. Elle vit dans un appartement de la Côte des Neiges à Montréal depuis qu'elle est devenue scripte à Radio-Québec. À dix-huit ans, il y a cinq ans de ça, Danielle avait été duchesse pour le célèbre Carnaval de Québec, et aussi, la même année, vedette d'un film qui fit grand scandale chez les bien-pensants du territoire. Son seul film. Son père, scandalisé, réussit à la détourner de ce début de carrière, pour la convaincre de suivre des cours de communication à l'Université de Montréal.

La présence d'un sous-ministre à l'entretien confidentiel de tout à l'heure s'explique quand Charles Asselin entend le haut fonctionnaire aux manières plutôt précieuses lui dire : « Il s'agit de ma fille, monsieur. »

Asselin a donc vite saisi l'aspect secret de sa mission dans le Maine. Il a appris les contours de l'histoire par le directeur Dubreuil, son employeur habituel.

Tôt dans la matinée du premier jour de septembre, un certain Marcel Mastano se fait arrêter à l'aéroport international de Mirabel pour trafic important de narcotiques. Dès sa pré-enquête, Mastano commence à donner des noms de « passeurs ». Le nom de Danielle Palazzio est sorti !

On peut facilement imaginer l'affolement côté justice officielle. Il fallait donc ramener de toute urgence la benjamine du sous-ministre Palazzio des plages ensoleillées du Maine, l'affaire Mastano pouvant rapidement devenir une affaire « continentale ». Il fallait tenter d'étouffer un certain scandale.

Danielle avait fait un peu de théâtre amateur dans des troupes éphémères et avait connu une soudaine notoriété avec ce film soi-disant érotique : *La pêche, sa peau et son noyau*. Beaucoup de nus... intégraux ! Très embarrassé donc par cette publicité, Maître Palazzio avait été soulagé en voyant sa Danielle accepter d'étudier pour devenir, un jour, réalisatrice ou cinéaste, quelqu'un qui reste vêtu, qui « joue », mais derrière les caméras. De toute facon ce métier d'actrice ne lui plaisait guère; devenue vite un « personnage public », elle avait constaté qu'on ne lui offrait que des scénarios de plus en plus débiles et de plus en plus voyeuristes.

« Vous allez voyager avec un de nos hommes » lui avait dit tantôt Dubreuil, et il lui avait présenté un grand dadais aux dents d'un blanc éclatant, longues démesurément, au sourire quasi perpétuel. Son nom : Jean Brigadier. Le directeur lui avait dit : « Est-ce que vous pourriez descendre dans le Maine dès aujourd'hui ? » Cette question l'avait embarrassé, Asselin mettait la dernière main à un rapport urgent, un contrat privé important, où il avait réussi à débusquer le chimiste déloyal d'une firme multinationale en produits pharmaceutiques. Un espion industriel en somme. Dubreuil se montra compréhensif quoique agacé : « Très bien, alors tâchez de partir très tôt demain matin. »

Asselin a su qu'il disposerait d'une voiture banalisée rapide, une Buick « organisée ». Le jeune caporal Brigadier en avait bombé le torse de contentement. Souriant de toutes ses dents à Dubreuil, il avait dit : « La limite de vitesse, c'est 55 là-bas, vous le savez. Je pourrai pas forcer beaucoup plus que 65-70 ! » On avait ri.

— Vous venez me chercher à cette adresse demain matin, neuf heures pile.

Brigadier avait mis le carton dans sa poche à mouchoir fleuri. Il portait un blazer bleu marine, un pantalon de chic flanelle blanche et Asselin comprend qu'il avait cru partir tout de suite après cette rencontre.

— Monsieur Asselin, je veux vous dire que je suis très fier de travailler avec vous.

Son sourire plein de dents luisantes illuminait son regard. En sortant de l'édifice gouvernemental, Asselin s'entend interpeller :

— Je peux aller vous reconduire chez vous, m'sieur ?

Brigadier, à grands gestes, peignait sa lourde toison châtaine. Tout sourire.

En roulant vers Saint-Hubert et Cherrier, le jeune caporal lui dit :

— Trouvez pas, patron, que ça sent le camouflage politique, tout ça ?

— Jeune homme, je fais un boulot et je ne porte jamais ce genre de jugement au travail. Je vous recommande d'en faire autant.

Le sourire à dents longues se referme. Brigadier se dit que « le vieux » ne sera pas du genre commode et il renoue sa belle cravate de soie rouge d'une main alerte.

— Au revoir et à demain matin, le jeune !

Brigadier repart en faisant crisser les pneus, ce qui fait toujours enrager Asselin. Brigadier avait besoin de tester la force de démarrage de la Buick neuve, rouge comme sa cravate. Le soleil de ce beau jeudi de septembre a baissé et la rue Saint-Hubert en est écarlate. Asselin doit maintenant annoncer à Rolande, sa compagne, qu'ils n'iront pas visiter ces « aubaines » des Cantons de l'Est demain. Elle l'écoute, puis :

— Merde ! J'aurais pu être ton chauffeur, moi ! Ogunquit est un si joli village. Plus jeune, j'y suis allée souvent en vacances.

— Eh ! On m'impose un « mannequin » mâle et il paraît que c'est un débutant plein d'heureuses initiatives, débrouillard, vif.

Charles Asselin prépare un sac de voyage, détestant toujours les malles encombrantes, il y jette quelques effets puis va recrinquer son minuscule réveille-matin. Huit heures, demain, il grésillera.

— N'oublie pas, Charlot ! Tu as promis ! Ce soir, cinéma et restaurant !

Asselin grogne un peu. Il préférerait se coucher tôt,

ces longs périples le fatiguent maintenant. Il aurait aimé poursuivre sa lecture des *Ritals* de Cavanna dans le grand lit king-size après le souper, il trouve pathétiques et fort amusants les souvenirs d'enfance du petit Italien de la rue Sainte-Anne, à Paris.

— Bon, bon. On va y aller. Chose promise... On va aller voir ton beau négro de *Beverly Hills Cop*.

Rolande lui sourit, lui ramasse pantoufles et robe de chambre, des chaussettes et sa bouteille de pastis bien jaune, son cher élixir.

— Rolande, écoute-moi bien, c'est une affaire toute simple, je déniche où loge la jeune Palazzio dès demain après-midi et je remonte. Samedi matin, nous partons visiter ces fermettes de Sutton et des environs, promis !

Rolande lui tire la langue, combien de fois il lui avait dit : « Donne-moi quarante-huit heures », il revenait vingt jours plus tard, épuisé, mettant une autre quinzaine pour se remettre d'une affaire saignante à souhait, crapuleuse à plein.

Elle lui dit souvent de prendre une vraie retraite. Totale. Elle compte beaucoup sur cette installation future à la campagne. Charles planterait des arbres partout, il aime tant ça, il aurait un grand potager et il refuserait ces « piges ». Quand Charles y réfléchissait à haute voix, il finissait souvent par dire :

— J'aime trop ce métier. Tant qu'on me fera confiance, je pourrai pas dire « non ».

Rolande aussi aimait son métier de productrice-réalisatrice, alors elle le comprenait, elle ne s'imaginait pas, plus vieille, rentière désœuvrée. Elle aussi accepterait des « petits » contrats pour des publicités filmées.

— On a une carte du Maine, oui ?

— Non, Charlot ! Cet hiver, tu avais dit qu'il fallait

jeter tout notre stock de vieilles cartes routières. Je l'ai fait, mon chou !

— Bof, mon élégant chauffeur aura prévu ce détail, c'est sûr.

Asselin se dit qu'en sortant du Québec, il n'y avait qu'à prendre l'autoroute 89 et filer jusqu'au bout. Pas sorcier !

— Où veux-tu aller manger après le film, ma grande ? Français, chinois, italien ?

Il sait bien que ce ne sera pas, hélas, chinois, Rolande n'aime pas.

— Chinois, mon loup ! Paraît qu'*Au piment rouge*, c'est bon. Et cher !

Il rit :

— Tu vois bien que je dois continuer à bosser à cause de toi !

Charles sort du sac la bouteille de Pernod et se prépare un apéro.

— Veux-tu que j'y mette ton maillot, chanceux ?

— Non ! En septembre, la mer doit être dans le très frais !

Rolande lui jette tout de même un maillot.

— On sait jamais. Le temps d'y faire une petite trempette avant de me revenir.

— Je te répète : samedi matin, je suis ici !

Il entend son directeur qui insiste : « Vous comprenez, il arrive que du coulage d'informations voyage vite jusqu'aux États-Unis, il faut ramener très très vite mademoiselle Palazzio. Empêcher absolument que des collègues du Maine ne lui mettent la main dessus avant vous, Asselin. »

2

Vendredi matin, la Buick rouge roule rapidement en direction du pont Champlain d'abord. Charles observe à la dérobée ce jeune policier qu'on lui a imposé. Il semble tout heureux, détendu comme quelqu'un qui part en congé, il sifflote, tantôt il chantonnait.

Des airs inconnus de Charles, la « *generation gap* » songe-t-il, des airs au-delà de ses références coutumières, Leclerc, Brel, Vigneault, Ferré.

— Quel âge avez-vous, Brigadier ?

— Quel âge vous me donnez ?

Il mâche une boulette de gomme rose, tente d'en faire une bulle. La rate. Rit.

— Avec votre gomme à baloune ? Dix ans !

— J'ai, plutôt j'aurai trente ans betôt. Ça me donne un grand coup, je peux b'en l'avouer. Dans le temps, je m'en souviens, j'avais dit que je venais d'avoir vingt-cinq ans à la duchesse Palazzio et que je me trouvais vieux.

Asselin l'a regardé avec étonnement. Brigadier connaît ou a connu la fille du sous-ministre ? Il en est enragé, on lui a caché ce fait.

— Vous connaissez Danielle Palazzio ?

— Dans un sens, oui. Disons que je faisais partie de la bande. Je vas vous dire une chose, patron, j'aurais voulu — il répète ça sur l'air connu — oui, j'aurais voulu être un acteur !

Les dents à l'air, le voilà qui chante à tue-tête la chanson de Dubois.

Asselin lui gueule :

— C'est quoi, d'après vous, l'idée de vous expédier vers elle avec moi ? On vous l'a dit, à vous ?

L'autre lâche net la toune de Berger-Plamondon :

— Bah, j'sais pas, pour rassurer la duchesse, non ? Ils nous ont bien dit de ne pas énerver la fille. Ça fait que... b'en, ma visite va la mettre en confiance. Pensez pas ?

Asselin a toujours détesté ces petites cachotteries dans les services policiers du temps qu'il y était. Il bouillonne. Par en dedans.

Autant en profiter et faire débuter l'enquête :

— Brigadier, dites-moi la vérité, ça se pourrait-y qu'elle se soit mêlée de trafic ?

— Oui, ça se pourrait. Je vous parle b'en franchement, là. Oui ! Dans le temps qu'elle était « vedette de cinéma », b'en... il y avait du drôle de monde dans ses alentours. On se comprend ? Des vrais crackpots !

— Et vous, Brigadier, là-dedans ?

— Bah, je crachais pas sur un p'tit joint de temps en temps, rien de plus. Je fais très attention à mon petit corps. Je m'aime, patron !

Son rire, tonitruant, de nouveau. Et remâche. Et bulle. Paf ! Raté !

— Ce Marcel Mastano, vous l'avez connu à cette époque ?

— Danielle me l'avait présenté. C'était une sorte d'imprésario, son gérant. Je sais plus trop.

Brigadier raconte Mastano. Il disait venir de Nice sur la riviera française, il disait fuir une fille tyrannique, malade de jalousie morbide. Il avait ouvert une sorte de cafétéria pour jeunes aux études, rue Ontario, *La Prome-*

nade. Avec de l'argent de ses parents restés en France. On y servait des sandwichs, des salades « à la provençale ». Aux murs, décor de palmiers peints, de pavillons à tuiles roses plein les toits, vue imprenable sur une Méditerranée peinte en turquoise. Dans une annexe de *La Promenade*, Mastano avait fait aménager une vaste salle de lecture et on y trouvait journaux et magazines de France. Partout des plantes vertes : aux fenêtres, sur des rayonnages de bambou, suspendues aux plafonds.

— Vous voyez le spot ? On traînait là des heures et des heures avec une bière ou un ballon de rouge, c'était pas cher, pratique. On jasait.

Brigadier parle maintenant des aspirants acteurs et actrices qui y passaient la journée entière, attendant « le » coup de fil providentiel qui ferait démarrer une carrière. Mastano faisait la cour à toutes les filles de son café-terrasse, jouait le conseiller avisé souvent. Le lendemain de la première du film *La pêche*..., Francis Laurende, le critique, fit publier sur six colonnes une diatribe démolisseuse et sarcastique et c'est Mastano qui forma, illico, un comité de rédacteurs-de-lettres-ouvertes pour défendre le talent extraordinaire de la duchesse. Lui-même y alla d'un petit pamphlet parlant, au sujet du critique, de « crétinisme puritain ».

— Après cela, on a vu Danielle de plus en plus souvent au bras de Mastano, il disait qu'il était son agent, son « attaché de presse ».

— Est-ce qu'ils étaient vraiment... un couple ? Amants ?

— Sais pas, pas longtemps après, le beau Marcel accueillait l'épouse supposément acariâtre et maladivement possessive, Nicole. C'était une magnifique blonde, extrêmement séduisante et pas vraiment jalouse. C'est le

Mastano qui la surveillait et lui faisait des scènes à la cuisine quand elle flirtait de trop. Un sacré menteur, le bonhomme !

— Et Danielle, elle perdait son « prince consort », non ?

— Attendez. On va certainement voir son « nouveau prince » à Ogunquit. C'est pas n'importe qui, c'est Bucher. Vous connaissez André Bucher, le performer ?

— Je l'ai déjà vu faire son tintamarre à la télévision.

— Paraît qu'ils sont inséparables. J'sais pas trop, je fréquente p'us cette gang-là. Mais j'ai vu son dernier show à Dédé Bucher : fort, très fort. Il se démène dans une masse compacte de laine isolante avec des bandes élastiques et du « velcro » partout sur son costume. Une dizaine de projecteurs super-8 l'arrosent d'images mouvantes. C'est fantastique, je vous l'dis. Manquez pas ça, vous le regretterez un jour.

— J'sais pas ! J'suis conservateur côté spectacle, mon jeune !

— Paraît que ça va partir sur Broadway à c't'heure, qu'il a un engagement pour l'automne. Il chante p'us, hein ? Non, il fait des bruits de bouche, c'est mourant ! Il fait des musiques en frappant des chaudrons, des fioles, de la ferraille. Pas croyable, le gars ! Ils disent que c'est du *junk show*, que c'est hyperréaliste !

Parfois Asselin se sent vraiment vieillir. Il déteste constater qu'il n'est plus vraiment dans le coup. La description de son « chauffeur » le laisse songeur. Il se secoue. Maintenant, il se demande pourquoi « le patron » n'a pas envoyé Brigadier seul à la recherche de cette ex-duchesse de carnaval d'hiver. À quoi peut-il bien être utile dans une mission aussi simple ? Un témoin neutre ?

Sans doute. On savait le lien qui unissait Brigadier à Danielle Palazzio et, advenant une fâcheuse publicité sur cette expédition au Maine, c'eût été de l'imprudence exploitable par un reporter retors.

— Patron, pour la route, j'ai carte blanche ?

— Le plus rapide, c'est de filer vers Saint-Jean-Iberville et la 89, non ?

— Non, pantoute, pas une miette.

— Vous songez à quoi, la 91 ou la 93 ?

— Non plus, chef !

Son sourire encore. Les dents sorties.

— C'est quoi, votre chemin ?

— Regardez b'en ça : les autoroutes, c'est bourré de *speed cops*, c'est connu. On filerait en pépères vers la belle Danielle. Je vas piquer vers Sherbrooke par la 10, O.K. ? Pis dans ce coin-là, paf ! je fonce sur Colebrook ! Ensuite de ça, par la bonne vieille p'tite 26, la pédale au fond, on file jusqu'à la côte, la mer.

— Bon. C'est plus rapide ?

— Je comprends donc. La paix ! Pas de niaiseux avec les cerises bleues et rouges sur le top. Quand j'étais petit, on allait chaque été à Old Orchard. À Wells par après. C'était « sa » route à mon papa, la 26 ! Trop chieux pour écraser, même si y avait pas de police d'un bout à l'autre.

— Je vous fais confiance.

— Le regretterez pas ! On va y aller dans le 70-80, trois heures après Colebrook, on arrive au *Maine turnpike*. Gagez-vous un dix, chef ?

— M'appelez pas tout le temps « chef » et soyez prévenu, on remonte par votre 26 ou par la 89 dès demain matin, peut-être même ce soir si on déniche le chalet de votre duchesse rapidement.

Le sourire de triomphe quand il vire sur l'autoroute des Cantons :

— M'sieur Asselin, regardez b'en ça, on ramasse la Danielle aujourd'hui et demain à midi tapant on repasse le fleuve Saint-Laurent. Midi !

Brigadier s'est remis à siffloter et à chantonner. En mâchant. Asselin songe aux acrobaties du *cop* du film vu hier soir. Le romantisme échevelé, les démonstrations de haute voltige des scénaristes en films policiers, quel mensonge !

Cinéma séduisant qui conduit sans doute des tas de jeunes vers les écoles de police. Ils se voient devenus un jour ces héros, mythes véritables aux actions d'une audace à faire frémir, mitraillant tous les bandits de la terre en criant bingo. Il se retient de questionner Brigadier sur ses motivations quand il décida d'entrer dans les forces constabulaires. Et, justement, il l'entend dire :

— Savez-vous ce que j'espère un jour ?

— Non, mais confiez-vous un peu, Brigadier !

— J'aime pas mon nom, appelez-moi donc Jean, patron.

— J'pourrais pas, monsieur Brigadier. On se refait pas.

— Je pensais à ça, s'il pouvait y avoir une grande enquête sur cette affaire Mastano, si je pouvais faire partie, j'sais pas, d'une sorte de commission rogatoire, à Nice par exemple. J'aime les déplacements, le voyage. Me voyez-vous parti enquêter à Nice, Cannes, Juan-les-Pins, Saint-Trop ?

— On sait jamais. On sait jamais.

— Vous, chef, pardon, patron, est-ce que je peux vous dire Charles tout bonnement, vous avez dû en faire des beaux voyages dans l'temps ?

— Pas bien loin, Brigadier, pas bien loin. Boston, New York. Philadelphie deux ou trois fois. J'oubliais, au Nouveau-Brunswick une fois, je devrais m'en rappeler, ça avait duré, cette enquête conjointe, quatre mois. Tout un hiver à Bathurst et Dalhousie !

Le jeune détective semble déçu pour lui. Il en avait perdu le sourire. Quoi, son héros, son modèle, l'as Asselin n'avait donc jamais été expédié sur un continent étranger, n'avait pu visiter le vaste monde aux frais de l'État ? Lui qui croyait qu'en quelques années, il deviendrait à son tour l'expert-limier recherché, indispensable collaborateur des polices étrangères.

Il se console, il se dit que les temps changent. Qu'il est plus fréquent maintenant de voir des inspecteurs partir pour de lointains horizons. Il songe à Chevrier, la quarantaine à peine, envoyé au Japon l'an dernier. À Trudel aussi, pas tellement plus vieux que lui et qui est allé en Australie et puis en Afrique du Sud il y a deux ans, une affaire de fraude impliquant un chirurgien de Chicoutimi.

Il se dit que ce bougre d'Asselin détestait peut-être les missions à l'étranger. Mais lui, il saura toujours faire voir qu'il est disponible, on s'apercevra bien vite qu'il n'aime rien tant que de voyager. Et puis il parlait un peu l'espagnol, il étudiait l'allemand maintenant, il faudrait bien que ça serve un jour, tous ces cours du soir.

— Patron, pas d'objection si on prend le lunch à Bethel ? Je connais un bon spot, une sorte de brasserie cocasse, on s'arrêtait toujours là avec mon père dans l'temps. Ça s'appelle *The caps*.

— Pour aller plus vite, on aurait dû s'apporter des sandwichs.

— M'sieur Asselin, on est pas des routiers quand même !

— Snob, Brigadier ?

— Arrêtez donc. Vous allez aimer la place, c'est tout décoré avec des enjoliveurs de roues d'automobile, *The caps*, vous comprenez ? Il y en a plein les murs, partout, partout. Au plafond, c'est des lumières de freins, des rouges, des jaunes, et de toutes les formes ! Ça fait comme un ciel de science-fiction, ça clignote comme un arbre de Noël. J'espère que tout est resté de même. Ça fait si longtemps, tout ça.

Brigadier a pris un regard nostalgique, il a perdu son père il y a un peu plus d'un an, mort d'un cancer de la gorge dans un hôpital de Montréal-Nord. Il l'appelait pour rire « le froussard à lunettes », il le trouvait excessivement peureux. Lâche peut-être même. Il n'a jamais aimé vraiment ce père morose, archiprudent. Il se revoit gamin, avec ses parents et ses deux sœurs plus âgées que lui, à Bethel, dans ce restaurant *The caps*. Il aimait se mirer dans certains enjoliveurs chromés. Remuant sans cesse, son père n'arrêtait pas de lui dire : « Reste tranquille, assis-toi. » Il entend sa mère qui répétait : « Laisse-le donc vivre, il est plein d'énergie. »

Romuald Brigadier était un homme discret et timide, qui souhaitait passer inaperçu partout où il allait, détestant le bruit, les cris, même les rires. Le moindre événement dans son existence devenait une tornade incontrôlée. C'était un menuisier adroit, employé discret d'une petite usine de meubles à Roxboro et il économisait toute l'année pour cette quinzaine à Old Orchard en juillet. Jean se revoit dans la petite brasserie de Bethel, la fois qu'un gros zoulou poilu s'était mis en tête de draguer sa jolie maman qui sortait des toilettes où elle était allée revêtir un chemisier fleuri et un short très court. Il revoit son papa, trop poli pour protester, réagir, et c'est lui, le garnement aux longues dents, qui s'interpose, qui ose donner des coups de poing et des coups de pied au géant éméché. L'homme prend peur et se sauve en geignant. Il revoit la fierté qui allume le regard de sa mère.

Combien de fois le « grand Jean » — « il grandit si vite », répète sa mère — s'est institué le preux chevalier de ses sœurs malgré sa maigreur ? Il se découvre un enfant courageux. Un jour, il est certain qu'il sera quelque part le défenseur acharné des faibles, des exploités. Plus tard, il dira qu'il fera un avocat. Puis il y eut la longue maladie du père, le chômage, la mère faisant de la couture au « noir » pour un Japonais de Rivière-des-Prairies. Viendra le manque d'argent, la pauvreté réelle et alors, vite, vite, un métier. Pourquoi pas policier ?

— J'aurais aimé ça être avocat, j'sais pas pourquoi je vous dis ça.

— Pourquoi pas, vous pourriez étudier par les soirs ?

— J'y pense des fois, oui. Mais j'aime trop la vie, j'aime sortir, les filles...

— Êtes-vous célibataire ?

— Oh oui, m'sieur ! C'est pas parce que j'aime la forêt que je vas me rentrer un épinette dans maison !

Son rire. Ses dents.

La route numéro 3 après la frontière US. Colebrook est annoncé, le New Hampshire. Brigadier écrase fort. L'aiguille du tachymètre indique fréquemment 70 ou 80 milles à l'heure ! Asselin n'apprécie pas trop. Ça doit faire une bonne décennie qu'il conduit à vitesse réduite quand il emprunte la voiture de Rolande. Plus jeune, il aimait bien la vitesse, être toujours le premier à démarrer au coin des rues, être habile à dépasser, à couper astucieusement, à distancer rapidement ces « tortues » conduites par des pépères de cinquante ans. Ce qu'il est devenu ?

C'est qu'il a eu son lot d'accidents, comme tout le monde, dont un, plus dramatique, boulevard l'Acadie. Sa voiture démolie, le volant tout tordu, une touffe de ses cheveux sur le siège à sa gauche, le pare-brise cristallisé sous le choc et puis l'hôpital Sacré-Cœur, un bras, une jambe dans le plâtre ! Ce camionneur-maraîcher égaré et qui fait soudain un virage en « u » l'avait fait ralentir à jamais.

— Brigadier ! Si nous avons un accident, je regrette, mais je vous laisse là et je loue une voiture pour continuer seul.

— Pas de danger, Charles — il le regarde et voit une petite grimace —, aucun danger, vous questionnerez la Sûreté. Pas une seule égratignure en cinq ans de service et j'peux vous dire que, les jours à hold-up, j'en ai pratiqué des têtes-à-queue, ça !

— Modérez un peu, c'est un ordre !

Un ordre ? Brigadier se souvient, hier, devant Charles, il s'est fait dire : « Vous obéissez complètement à l'inspecteur Asselin. » Il modère un peu. 65. Passent Kidderville, Dixville, Notch, Errol. Des panneaux annoncent le prochain village : Upton. Le Maine. Ensuite ce sera *The caps* à Bethel. Soudain, Brigadier stationne sur un accotement. Il sort. Il retire doucement son beau veston bleu marine, le plie soigneusement, doublure de satin grège dehors, et va le poser délicatement sur le siège arrière. Puis il se réinstalle au volant, crache sa mâchée, se prend une nouvelle palette de gomme rose, d'un coup de langue l'enfouit sous ses longues dents, se souvient qu'il a des verres fumés dans le coffre à gants, les frotte fermement avec un carré de feutrine rose...

— Prêt à repartir ? Cigarettes ?

— Non, merci, j'ai ce qu'il me faut.

On roule vers Upton, Brigadier chantonne un air ancien des Beatles et Asselin s'allume un cigarillo. Éclairs de soleil quand Brigadier ouvre son boîtier à cigarettes bien doré, éclair de nouveau, son chic briquet.

— Vous aimez les dorures, Brigadier ?

— Je l'avoue, oui, tout ce qui brille. Je reviens de loin, de « pauvre ».

— J'ai faim, si on mangeait à Upton ?

— Non, non, Bethel est pas loin, on y arrive, là.

Asselin regrette de n'avoir mangé que deux rôties.

— Patron, vous avez apporté un maillot de bain, j'espère ?

— En arrivant, le jeune, on fonce sur les agences de location de chalets, on trouve mademoiselle Palazzio, on lui explique que son papa est pressé de lui parler et on remonte, dès ce soir.

— Non ! Je m'excuse, monsieur, il y a des limites à tout, on va pas se taper toute cette route deux fois le même jour. J'suis pas robotisé encore.

— Bon, bon. Mais demain « aux aubes », départ pour Montréal.

Le jeune agent de la Sûreté se dit que décidément, cet inspecteur pigiste n'apprécie guère les voyages payés par le contribuable. Qu'il accompagne un zélé, un grognon, un ancêtre qui ne badine pas en service commandé.

— D'après vous, chef — il appuie sur le mot —, c'est quoi au juste cette idée de leur ramener la duchesse ?

— D'abord, Danielle n'est plus duchesse. Ni actrice. Elle est scripte de télé. Ensuite, il faut tout vous répéter deux fois, ce trafiquant, Mastano, pourrait bien être lié avec des Américains, vous devez bien savoir qu'il y a souvent du « coulage » d'informations lors des préenquêtes. Un télex inopportun part en flèche, on y mêle tout, complice important et complice innocent, voilà la petite Palazzio, menottes aux mains et à la « une » d'un journal de Boston. Vous comprenez ?

— Oh oui ! Et qu'on pourrait donc trouver un chalet vide, barricadé avec un cadenas US ?

— C'est une possibilité, mais ne roulez pas si vite, Brigadier !

3

À Bethel, grosse déception pour « le jeune », *The caps* n'existe plus. Il en est désolé. Un petit centre d'achats a envahi complètement le quadrilatère où se trouvait le restaurant-halte de sa jeunesse. Dans ce centre, un snack-bar bien banal. Le duo y bouffe en vitesse. Hamburgers garnis à l'américaine, frites mollasses, bières pas bien fraîches.

Et de nouveau, la 26 vers le sud. Brigadier rote, s'excuse et chantonne ses airs favoris. Des indications routières vont apparaître à tour de rôle : Locke Mills, Woodstock, North Paris...

— En voyage, je vous l'ai-t-y dit ça, ma mère chantait toujours.

— Quoi ?

— Des vieilles tounes de son jeune temps à elle. Du folklore. On aimait ça. Qu'elle chante, je veux dire. On la sentait vraiment heureuse, une fois par année. Je m'en souviens, aussitôt passé le pont Jacques-Cartier, son concert débutait. Et ça durait jusqu'à Old Orchard. On chantait en chœur, mes sœurs et moi. Mon père, lui, jamais.

— Moi aussi, ma mère chantait et mon père, jamais.

Brigadier se trémousse d'aise, tout heureux de ce pauvre point commun avec cet homme qu'il admire depuis longtemps, qu'il juge pourtant raide, sévère, difficile d'accès.

— Tenez, ma mère chantait ça souvent, votre maman aussi, je gagerais : « Auprès de ma blonde, qu'il fait bon, fait bon, fait bon... »

Asselin sourit, acquiesce du bonnet ; Brigadier chante faux, ça l'agace un peu, lui qui chante faux aussi, Rolande ne manque jamais de le lui répéter. Il se retient de chanter avec « le jeune ». Il se méfie. Toujours. De tout. Il ne souhaite pas créer une trop grande familiarité. Il pourrait le regretter, se dit-il.

Il déteste cette méfiance perpétuelle. Il se convainc qu'il est victime de « déformation professionnelle ». Sa nature profonde ? Personne n'y peut rien dans ce cas-là. Le refus de « l'autre » d'abord et attendre, voir venir. La prudence. Écolier, collégien, il était déjà ainsi. Pourtant il a toujours envié ceux qui se livrent, ceux qui savent se lier facilement. Il y a toujours chez lui une crainte. La peur d'être envahi, d'être dérangé. Il admire Rolande, généreuse et même candide, qui est toujours entourée, invitée partout. Estimée.

Ce vendredi matin de septembre est d'une luminosité éblouissante et Asselin regrette de ne pas avoir arrangé une meilleure entente : partir avec Rolande, dans son auto, avec aussi ce Brigadier fringant. Là-bas, vite, retrouver la duchesse en question, la remettre entre les mains du jeune adjoint et ex-camarade, et fin du « contrat ». Voiture louée pour Danielle et son vieil ami. Lui et Rolande s'installant pour ce long congé du *Labor Day*. Rolande qui aime tant la mer et ses plages. Trop tard, se dit-il !

Soudain, bruit de sirène en arrière ! Cerises rouges et bleues qui clignotent.

— Je vous avais prévenu, voici des gendarmes.

— Craignez pas, boss, regardez b'en ça, je sais parler aux p'tits « flics » comme pas un.

Asselin s'amuse un peu. Doublage par la voiture vociférante, gestes de s'arrêter. Stop. L'accotement près d'une affiche marquée : *South Paris*. « *Papers please, sir !* »

— *We are on duty, sir. Big rush.*

Brigadier sort sa carte officielle, le badge.

Ça n'a pas l'air de convaincre l'Américain à grosses lunettes :

— *Rush for what, where are you going ?*

— *Maine, Ogunquit. We must bring back somebody for emergency checking.*

Le policier se penche, regarde Asselin après avoir abaissé ses verres bleutés. Brigadier sort de la Buick en disant :

— *Inspector Charles Asselin. He is the most clever detective up north.*

Asselin s'amuse de plus belle, l'agent de la route retourne à sa voiture avec les papiers de Brigadier. Palabre avec sa radio un bon moment. Il revient, remet les papiers :

— *Please, be civilised, don't go too fast, O.K. ?*

Debout, Brigadier grogne un vague acquiescement, se délie les longues jambes en une brève gymnastique cocasse, les mains accrochées à sa portière ouverte. Il remet son long portefeuille de daim dans son beau veston marine et le replace soigneusement sur le siège arrière. L'auto-patrouille passe. Brigadier fait le faraud :

— Vous avez vu ? Je vous l'avais dit. C'est une question de ton, vous m'avez entendu ? Le ton, important, ça. Je le dis souvent aux collègues.

Il démarre, change sa boulette de gomme rose encore et dit :

— Le sergent Lupien se moquait de ça, un jour. Le

soir même, je l'ai amené dans un club ultra-chic et très privé pour une petite démonstration. Le ton. Le visage. Du culot. Les « frais chiés » du club s'inclinaient, n'ont rien vérifié. Rien. Deux étrangers pourtant. Ils auraient pu nous offrir le bar en entier. J'ai pas abusé, je voulais juste y fermer le bec à Lupien. Si je voulais, je pourrais entrer dans la chambre du pape. Ou de la reine d'Angleterre. Le ton.

Asselin pense à l'acteur noir, Eddy Murphy, jouant cette carte du culot dans le film vu la veille. Décidément ce grand zigue fait du cinéma. Il ira loin, songe-t-il. Longtemps ? Il en doute. Il en a trop croisé de cette espèce qui, un jour, se fracassent la carrière. La prétention lui pue au nez, il n'a jamais aimé la forfanterie. Et il craint déjà pour la suite de cette mission. Se referme davantage.

Poland est traversé. Brigadier repousse son siège et se détend :

— Gray s'en vient ! Après, c'est le *turnpike* et le bingo ! C'est quoi le programme ?

Asselin regarde sa montre, trois heures et dix :

— Ça peut aller vite. Ça peut être long. Chambre de commerce ou un bureau de tourisme. Des coups de fil à des agences, c'est probable. Il nous faut dénicher une loueuse du nom de Danielle Palazzio, Montréal, Québec.

Brigadier fait reluire son porte-cigarettes, Asselin s'allume un cigarillo.

— Monsieur Charles — c'est son compromis, mi-respect, mi-familiarité —, montrez-moi donc encore la photo de la duchesse.

Asselin fouille la poche intérieure de sa veste de coton beige.

— Tenez. Elle ressemble encore à la Danielle que vous fréquentiez ?

— Pas tellement. C'est plus la brunette si fière d'il y a cinq ans.

— C'est la script-girl.

— Je vous préviens, son chum, Dédé Bucher, c'est tout un numéro. Des manières bizarres, une grande margoulette, une pie. Un stressé perpétuel. Un pitre aussi, un clown, s'il a pas changé et d'après ce qu'on m'a dit.

— Il voudra peut-être remonter avec nous trois. C'est non. Soyez averti de ça, Brigadier.

— Patron, avez-vous remarqué ça, les femmes aiment les comiques dans la vie ? Quand je veux ramasser une belle pitoune de mon goût, b'en je me fends en quatre pour la faire rire d'abord. Après, ça marche tout seul, on dirait. On va au « dodo » en criant ciseau.

Asselin sourit sans lui répondre. Il se dit qu'il n'a rien d'un clown comique. Puis il se souvient de ses farces, de ses grimaces même, de ses folichonneries quand il courtisa sa Rolande.

— C'est vrai, Brigadier, les femmes aiment les comiques.

Après Dry Mills, passé Poland, c'est Gray et c'est la fin de la 26, c'est aussi la fierté de son conducteur :

— Avec l'autoroute, on serait où ? À White River, et il nous resterait la 4, une route encombrée de camions.

— Bravo, Brigadier, bravo et modérez un peu.

— Aussi froussard que mon défunt père ! Tenez, lisez ça : la 95 ! On y est. Une petite demi-heure et c'est notre débarquement à Ogunquit.

Il stoppe la voiture, sort, met son beau blazer bleu, s'époussette les épaules de ses pellicules et puis chantonne *La mer* de Trenet. Soudain, il ralentit, abaisse complètement la vitre de sa portière, s'inquiète ostensiblement !

— Quoi donc ? Problème mécanique, Brigadier ?

— Non, c'est pas ça, c'est l'air. Maudit verrat, c'est pas chaud du tout dehors, par ici ! Je gage que la mer va être glacée.

— Ah ! moi, je me demandais qui, au juste, a loué ledit chalet. Bucher, peut-être ? Faudra vérifier les deux noms.

— Patron, si vous le permettez, pendant que vous chercherez, c'est une précaution sage, moi, j'irai nous dénicher un motel pour la nuit. Je peux vous dire qu'avec cette fête du Travail, ce sera pas facile de pogner du *vacancy*.

— Brigadier, vous êtes certain de pas avoir l'énergie pour qu'on ramène Danielle Palazzio dès ce soir ?

— Pas question, je vous l'ai dit. Je veux vivre vieux, je ménage ma santé. Tenez, après souper, j'aurai mon jogging. C'est sacré.

— Bon, bon. Je répète : samedi matin, départ à l'aube.

Asselin, une fois de plus, prend conscience du souci de la bonne condition physique chez les nouvelles générations, lui qui se contente d'un peu de natation, si peu de véli-planchisme, l'été, de trois sorties en ski de randonnée l'hiver. Il songe qu'il devrait mieux écouter Rolande, s'inscrire dans un centre de conditionnement physique, s'abonner à une piscine, un tennis. Et fumer moins, modérer le pastis. Il ébauche de bonnes résolutions et, l'instant d'après, il craint ne pas les tenir.

— Je pense à ça, chef, si Danielle a pas trop changé, c'est le genre à grouiller, à bouger, à se tanner vite. Ça se pourrait bien qu'elle ou son chum Dédé, b'en le chalet... sous-loué. Danielle partie. Loin.

— Non. Dubreuil avait vérifié côté Bucher-l'inséparable, il a loué à Ogunquit pour y travailler et jusqu'au lendemain du *Labor Day*. Il doit faire un spectacle au *Spectrum* dès son retour. Une répétition d'avant Broadway.

— Ah, je disais ça ! Regardez ça : ça annonce Wells. Une petite faveur, boss ? Qu'on y entre pour y jeter un petit look nostalgique, j'aimerais revoir la vieille Tardiff, la vieille Léonette Thibau, ça jase en français, ces deux-là, un jargon comique, vous allez voir. Un matin, dans la baie de Wells, j'avais treize, quatorze ans, j'ai vu deux phoques, comme je vous vois...

Asselin coupe :

— Brigadier, on est en mission ! On travaille, caporal Brigadier ! Pas une minute à perdre. Demain, avec mademoiselle Palazzio à bord, on ira y faire un p'tit tour, d'accord comme ça ?

L'autre a repris l'air de Trenet, mais sur un ton d'enragé. Il fulmine. Sortie Wells. La 1-A, l'affiche du village et Brigadier qui grogne :

— De la merde, Wells ! On est en état d'urgence, paraît.

— Vous aviez raison, c'est pas chaud du tout, remontez donc la vitre.

Se recoiffant d'une main avec son peigne ivoire, Brigadier s'exécute. Il se dit que l'eau de l'Atlantique doit être à 40°.

— Je m'inquiète, patron, mais savez-vous que des fois l'air est plus froid que l'eau de la mer. J'ai déjà vu ça, oui, oui.

— Regardez, Brigadier, là-bas, c'est annoncé : Ogunquit.

Brigadier hurle un « *Ogunquit, here I come !* » Il change de palette de gomme. Rose. Il adresse un étrange sourire à dents luisantes pour Asselin qui peut y lire un mélange de colère et de joie brouillonne.

4

Le paysage est riant, la petite ville est coquette, il est près de quatre heures. Un feu tourne au vert et la Buick traverse le carrefour animé où quatre chemins se croisent. On a dépassé Moody beach tantôt et ce fut encore la narration de souvenirs émus de l'enfance de Jean Brigadier. Une jolie fille s'apprête à traverser la 1-A en diagonale et le jeune conducteur joue le galant qui a tout son temps, il stoppe le véhicule, abaisse la vitre de sa portière et fait un grand geste de marquis courtois, toutes dents dehors. La blonde lui sourit. Redémarrage au moment où Charles soupire.

— Moi, chef, les blondes, hein ! N'importe quelle sorte, j'suis preneur, grasse, maigre, géante ou naine, jeunette ou vieillissante, je clignote. Je vois une blonde pis « toc » ! Ça cogne. Je fais *tilt*. Fou, ça, hein ?

— Vous en passez combien ? Dans une année, disons ?

— Attention, là, j'sais ce que vous pensez. Un playboy obsédé, c'est ça ?

— J'sais pas. Je vous connais pas.

— Je vas vous dire une chose. Regardez b'en ça — c'est un tic langagier chez lui —, regardez b'en ça, j'ai stické deux fois avec la même fille, deux blondes. La première fois, ça a duré deux bonnes années, O.K. ? C'est

730 jours de fidélité, ça. Marthe son nom, une comptable. Agréée. Qui me parlait « mariage » ! Quatre fois par semaine ! J'ai eu peur. Un jour, elle m'a présenté une jeune notaire de ses anciennes amies. J'ai déménagé en vitesse, j'ai changé de serrure pis de numéro de téléphone.

— La deuxième aussi, elle parlait « mariage » ?

Brigadier se rembrunit, fait une moue.

— Non. Une histoire b'en différente avec Carmen. Blonde à mort, belle ! Marilyn et Brigitte Bardot, du pipi de chat à côté de Carmen. Ça a duré six mois, six beaux mois. Après, savez-vous quoi, patron, ce qui est arrivé ?

— Allez-vous me dire toute la vérité ?

— Oui. A me trouvait « pépère ». Pantouflard même ! J'aime ça regarder les films à la télévision. C'est une marotte. Carmen aurait voulu sortir tous les soirs. Les deux extrêmes, ça, hein ? Elle était chômeuse volontaire, avait pas une grosse instruction, ma beauté, pis elle voulait pas d'un job plate. C'est simple, on virait dans « le rouge sang » côté budget. Un beau soir, elle m'a présenté son nouvel amour, une vraie vieille tapette. Riche ! Vous connaissez nos petits salaires de cul à Sûreté ? J'ai pas lutté. J'étais plaqué. Ça m'a donné un coup, je le sais que je suis orgueilleux. Depuis ce temps-là, je prend p'us de risque, je butine, je voltige.

Très jolie petite ville style Nouvelle-Angleterre convenu. On tourne en rond. Pas de bureau de tourisme ni chambre de commerce en vue. Rien. Brigadier finit par demander des informations à un infirme en fauteuil roulant et puis l'aide à traverser la rue où ils se trouvent, le Shore Road.

— C'est pas loin, derrière un garage et une épicerie sur la 1-A.

— Allons-y rapido.

— Regardez ça, du trafic, b'en des piétons, mauvais signe, ça, chef ! La mer doit être dans le « frette » rare.

— Brigadier, direction « tourisme », s'il vous plaît.

Asselin aime l'endroit tout de suite, il n'y a pas que des motels enlignés, entassés, avec leurs affiches criardes. Ogunquit semble un vrai village avec du vrai monde, pas seulement des marchands à touristes.

— Patron, on devrait juste aller saluer la mer. Chez nous, quand on arrivait, c'était un rituel sacré, aller dire « bonjour » à l'océan.

— J'adore la mer, Brigadier. Plus tard. On a un boulot urgent.

— Bon, bon. Calmez-vous. C'est là, regardez. Je vous débarque, patron, et je repars chercher une niche pour la nuit.

— Brigadier, vous n'avez pas hâte de renouer avec Danielle Palazzio ?

— Euh... j'y tiens pas trop, non. Je vous expliquerai ça.

5

Brigadier stationne la Buick sur le terrain du bureau de tourisme. Quand Charles met la main à la poignée de sa portière, son « chauffeur » lui prend l'avant-bras gauche :

— Je vais vous dire tout de suite une chose : j'ai jamais su pourquoi au juste Danielle me blairait pas trop. J'ai essayé d'abord de lui faire de l'œil, comme on dit. Elle m'avait reviré raide, comme on dit aussi. Après ça, b'en, j'étais entré dans la police, et peut-être que je jouais trop au détective, en tout cas, quand j'ai su à propos de tous ces voyages, ces excursions de week-end aux États-Unis, b'en, oui, j'y ai dit de se méfier de son gérant, de Mastano.

— Peut-être allons-nous découvrir maintenant que vous aviez raison.

— J'aimais pas les fines gueules qui jacassent pis qu'on sait jamais au juste ce qu'ils avancent, ce qu'ils font. Mastano, c'était le genre « Français prétentieux », méprisant pour tout le monde, chiant, quoi.

— Pensez-vous que cette Danielle était de mèche avec Mastano, dites-le, ça restera entre nous.

— J'sais pas. C'était des voyages d'agrément qu'elle disait. Mon œil, l'agrément ! C'était des voyages d'affaires ces excursions à New York, à Boston ou à Philadelphie. On le sait trop, hein, aujourd'hui ?

— Attention, évitez de conclure trop vite. Ça peut nuire.

— Un bon jour, Danielle partait encore pour un week-end à New York, j'y ai dit carrément que je trouvais ça louche et elle m'a donné une de ces gifles, j'en revenais pas ! Aujourd'hui, savez-vous ce que je pense, savez-vous ce que je me dis ?

— Que son papa a bien raison de la rappeler à lui de toute urgence, oui ?

— En tout cas ! Je veux pas conclure comme vous dites. Ce jour-là, la Danielle m'a dit : « Je veux plus te revoir la binette, c'est clair ? »

— Et vous ne l'avez plus revue ?

— B'en, c'est là que j'ai connu Marthe, ma marieuse ! J'ai changé de gang.

— Et tout ça fait que vous savez pas trop si l'accueil sera sympathique ici ?

— Exactement, patron. En me voyant, elle va penser que je suis venu pour la narguer, lui dire que mes soupçons étaient fondés. Vous voyez la situation ?

— Bon, eh bien, maintenant, c'est encore un ordre, je tiens à cette rencontre entre vous deux, surtout après ce que vous venez de me raconter.

Asselin sort de l'auto et se secoue un peu les jambes. Brigadier enlève son blazer, le plie et le pose délicatement sur son bras gauche. Charles sent que le gros hamburger de Bethel va lui rester sur l'estomac encore un bon moment, machinalement, il se frappe d'un poing fermé :

— Ça passe pas, c'est le fromage fondu, ça.

— Voulez-vous que j'aille vous acheter une eau minérale, un sel ?

Asselin lui fait des signes négatifs de la tête et bâille.

Brigadier hume à pleins poumons cet air salin qui l'excite toujours.

— Sentez-vous comme une odeur d'iode, de varech, j'sais pas trop ? Chef, ça vous inquiète pas si on trouve pas de motel ?

— On trouvera bien dans une pension de famille ou bien on ira ailleurs, dans les terres.

L'adjoint grimace, il songe à un motel de luxe, la terrasse sur la mer, une bonne douche bien chaude, le frigo, l'air climatisé... aux frais de la princesse, tout ça.

— Allons-y, chef, je vous accompagne.

Ils entrent dans un petit édifice de stuc aux faux airs espagnols-mexicains. Le comptoir classique, les affiches partout, des dépliants publicitaires, des cartes, un muret recouvert de notes épinglées vantant les mérites d'offres de location. La préposée à l'information est une vieille demoiselle mince comme un fil, ridée comme un cou de tortue. Asselin s'explique dans un anglais primaire et elle soupire. Lève les mains au-dessus de sa tête.

Brigadier vient lui parler dans un anglais moins approximatif.

Il lui dit savoir deux choses précises : c'est un chalet à bon marché qui a été loué, on lui avait dit que le chanteur Bucher, pouvant vendre sa chemise pour un show, était un radin imbattable, deuxièmement, ce chalet est au cœur du village, pas loin de la mer, il se souvient que Danielle était une enragée des bains de soleil et des plongeons dans la vague.

— Madame, il doit pas y avoir des milliers, ni même des centaines de chalets dans ce village ?

La vieille demoiselle brasse des liasses de documents. Une pile marquée *august* est jetée sur le comptoir. Elle se lève et tripote des listes qu'elle sort d'un élastique et sur lesquelles sont inscrits des noms d'agences immobilières. Brigadier reçoit une liste et il y fait courir un index rapide. Asselin parcourt une autre liste.

Au bout d'une dizaine de minutes, plusieurs listes ont été examinées. Pas de Bucher, pas de Palazzio ! Soudain, l'adjoint pousse un cri de victoire.

— Ça y est, Brigadier ?

— Oui et non, regardez b'en ça : Lagadie ! Vous, ça vous dit rien, ce nom-là ?

— C'est un fait.

— Mariette Lagadie. On va l'avoir, notre duchesse. C'était la grande chum de miss Palazzio, cette Mariette. Elle a loué un chalet ! Ou b'en elles sont ensemble ou bien Mariette Lagadie va nous dire où niche la « star » Palazzio.

— Qui est cette Mariette ?

— Une scripte elle aussi, elle n'est pas de Radio-Québec mais de Radio-Canada. C'était des grandes copines, on voyait une et on voyait l'autre, un temps.

— En voiture Brigadier, notez bien l'adresse.

Le Shore Road est très animé, les touristes s'y baladent, léchant les vitrines des échoppes aux colifichets attirants, des boutiques offrent des vêtements à la mode, mode orientale, mode hindoue, mode californienne... Les noms des motels du côté de la mer sont classiques de ces lieux : *The Seagull*, *The White Surf*, *The Dolphin*, *The Black Seal*. Des pensions de famille de l'autre côté de la rue avec de coquettes et sobres enseignes au lettrage gravé profondément dans le bois verni : *The Merrymoore*, *The Lemon Tree*... et voici enfin la petite rue qui doit conduire le duo au chalet de Mariette Lagadie.

Brigadier tourne à droite, l'auto gravit une légère pente.

Sur une butte apparaît le chalet loué par la scripte de Radio-Canada. Le numéro du chalet est inscrit discrètement sur une plaquette de cèdre clouée à un arbre. Deux chats, un noir, un gris, tournent en rond, se griffent pour jouer, sur un patio aux briques arrondies meublé d'un modeste mobilier de rotin tressé dépeinturé.

— Rien de trop cheap pour la classe travaillante, hein, patron ?

En effet, Charles songe aux chalets d'été de sa jeunesse au bord du lac des Deux Montagnes. De la moustiquaire autour d'une galerie en « l », partout du déclin de bois à la peinture écaillée, sur un côté, une sorte d'annexe recouverte de papier-brique goudronné.

Les deux détectives sortent de la voiture, le soleil baissant les aveugle un moment. Un vent de plus en plus fort souffle du nord-ouest et agite les hautes branches d'une toute petite pinède.

— Allez-y, Brigadier, je ne bouge pas d'ici.

Il y va. Il cogne à la porte de moustiquaire. Rien ! Il entre. Il revient aussitôt avec un billet à la main.

— Regardez, on a laissé ce billet dans la porte intérieure.

Il lui lit à haute voix :

Danielle : Sommes à la plage, avec gilets de laine. Viens nous retrouver, sommes très inquiètes. M.M.

— C'est clair, chef, un : Danielle, c'est notre duchesse.

— Et « sommes très inquiètes », ça veut dire quoi, Brigadier ?

— Ça veut dire qu'elles savent pour l'affaire Mastano. La police US est passée avant nous, maudit verrat !

— Faut pas sauter aux conclusions faciles, mon

jeune, je vous le dirai plus. Qui est l'autre « M » ? Vous avez une idée ?

— Non, je vois pas là comme ça, en tout cas, c'est clair. Ça a été loué à trois : Danielle, Mariette et l'autre « M ».

— C'est pas certain. On verra. Venez, vous allez la voir votre mer, dépêchons.

En marchant vers l'auto, Asselin demande :

— Parlez-moi de cette Mariette Lagadie.

— Une blonde, chef, une belle ! Rondelette. Je la voyais souvent à *La Promenade*, rue Ontario, mais elle avait un collier, une laisse, un gros chien, un dénommé Charron, un artiste peintre-sculpteur. Rien à faire, il collait. Je m'étais rabattu sur Pauline, une fille drôle, parfaite, qui étudiait la gravure et le dessin d'animation. Mais elle était noire ! Comme du goudron !

En roulant sur le Shore Road vers la plage publique d'Ogunquit, le grand blondinet continue :

— Pauvre Mariette, son sculpteur était toujours débraillé, sale, graisseux, il machinait des bébelles avec des minuteries, des moteurs avec des engrenages. Ma Pauline vivotait, elle faisait des posters pour des théâtres, je devais toujours y passer du foin. Mariette aussi lui passait de l'argent, elle aidait tout le monde, Mariette, un cœur grand comme... comme le métro avec des stations partout ! Voyez le genre ?

— Qu'est-ce qu'elle faisait, cette Mariette, pour avoir de l'argent ?

— B'en c'était flou, on savait pas trop, on supposait que sa famille en avait de collé. Un temps, elle a fait du journalisme pour un hebdo à potins. Elle avait fait du théâtre amateur elle aussi. Un jour j'ai su qu'elle s'était trouvé un job steady, script-girl aux variétés, au canal 2.

— Côté drogues, rien ?

— B'en, un temps, oui ! J'pense que oui. Elle était le nègre d'un disque-jockey. Elle lui faisait des textes, vous savez, Georges « rocking » Guay ? Non ? Ça vous dit rien ? Il avait une émission tous les jours à CHOM ou CKOI, j'sais p'us.

Soudain Brigadier freine et s'écrie :

— Chef ! La mer ! La mer, chef !

La Buick avait tourné à droite dans le Beach Road et passé un petit pont, au bout de la rue, en effet, la mer venait de leur apparaître.

— Toujours belle, hein, chef ? D'un beau bleu, si beau, pas vrai !

Au-dessus de l'Atlantique, un peu partout des petits nuages effilochés, très blancs, coursaient dans le vent du nord-ouest. Derrière eux, des pêcheurs à la ligne garnissaient les garde-fous des deux côtés. La rivière Ogunquit était une sorte de bras de mer qui se vidait et se remplissait de six heures en six heures. Brigadier sort de la voiture en trépignant, exalté comme un enfant. Asselin s'avoue que, pour lui aussi, la vue de la mer est une source d'émerveillement jamais tarie. Un peu partout, des flâneurs basanés, des invitations à acheter des ballons, à louer des parasols, à faire voler des cerfs-volants, à croquer un sous-marin ou à lécher une glace aux saveurs variées. Des odeurs de fritures, frites, *onions rings* et quoi encore ? flottaient dans l'air. Asselin réprima une envie d'aller dévorer goulûment un de ces savoureux *crab rolls*. Toujours, dans ces stations balnéaires, une atmosphère de fête, de relax obligé. Il respira profondément. Heureux.

— Pas grand monde à l'eau, hein, patron ? Regardez l'ardoise, c'est écrit à la craie, vous lisez ça ? 49°, maudit verrat !

— Bucher ? Le chum inséparable, impossible qu'il puisse travailler son show dans ce chalet, on est d'accord, Brigadier ?

— Oui. Mariette Lagadie détestait son petit genre « énarvé », ça fait que je me dis que Bucher et notre duchesse, c'est peut-être terminé.

— Bon, ouvrez les yeux très grands, fouillez la plage, Brigadier.

— Minute, boss, vaudrait mieux prévoir, je vois une affiche *vacancy* pas loin. Je vais louer deux motels ? Je vous reviens dare-dare, O.K. ?

— Bien, mais faites vite. Je serai sous ce kiosque là-bas.

Brigadier stationne la Buick, exige un reçu comme il se doit en voyage payé, puis va, vole vers le bureau du motel d'à côté. On dirait un écolier lâché enfin en récréation. Asselin, lui, va s'asseoir sur un des bancs publics sous le long kiosque derrière les toilettes publiques. Il aime voir les gros rouleaux pleins d'écume qui se déversent sur la plage. À sa montre, cinq heures bientôt. Il songe à Rolande qui quittera alors les bureaux de l'agence, elle ira acheter le souper rue Roy, coin Saint-André. Pour une seule personne. Il éprouve un remords qu'il juge idiot : il est au bord de la mer ! Rolande aime tant la mer. Il n'aime pas être bien et seul, désormais il est toujours avec elle quand il est bien dans sa peau, et il l'est infiniment, en voyant tout ce beau sable très pâle, en regardant le vent qui fait danser les joncs là-bas sur le long côteau, en respirant les bonnes odeurs du large, en voyant partout ces vagues qui s'enragent contre la rive. Dans des robes d'un autre âge, près de lui, deux dames au visage plissé, crêpelé, lèchent deux cornets de crème glacée... bleue ! Un gamin tout échevelé saute de banc en banc, un filet à la main. Un peu plus loin, un couple très jeune, deux visages rousselés, se font des agaceries de leur âge. Plus loin encore, un long vieillard tout droit, tout de noir vêtu, canne sur le bras, jumelles aux yeux, semble attendre la venue d'un paquebot espéré ou repérer un passage de requin, de baleine ! Il marmonne abondamment des paroles inaudibles chaque fois qu'il s'arrache à ses jumelles, secouant la tête d'une déception incompréhensible.

Quelques rares baigneurs frissonnent sur la plage, les parasols couchés, direction nord. Asselin remarque de longues clôtures de lattes brochées retenant le sable des dunes séparant l'océan de la lagune, l'eau doit y être un peu plus chaude, des marmots s'y amusent. Il en voit d'autres qui s'agglutinent aux comptoirs où l'on vend hot-dogs, hamburgers, sous-marins « italiens », *lobster rolls*, toute la panoplie des petits marchands des bords de la mer.

Son regard est attiré par les mouvements de gymnastique de deux jeunes filles, l'une est bronzée à l'extrême, porte un chignon sur la tête, très noir. L'autre est blonde, grassouillette. Mariette Lagadie peut-être, songe Charles, celle qui serait convertie au naturisme, selon son « chauffeur » ?

Justement l'adjoint réapparaît, fier dans son maillot jaune canari. Il lui sourit, coup de peigne rapide, verres fumés style miroirs, cigarette pendue au bec, il mâchouille toujours. Il doit se prendre pour James Bond, songe Asselin.

— Regardez ces deux filles sur la plage, là-bas, ça pourrait pas être nos deux « M » ?

— Mais oui, c'est elle ! C'est Mariette, la blonde des blondes !

— Dépêchez-vous, je vous attends ici tous les trois.

— Doucement, patron, d'abord je les rassure un peu. Ne bougez pas, j'y vais.

Il y court d'un pas sautillant. Asselin s'allume un cigarillo, retire son veston de toile, enfonce son chapeau de paille qu'il est allé récupérer dans la Buick tantôt. Il voit Brigadier qui s'approche des deux filles, il a mis une main en visière à cause du soleil baissant, il s'approche maintenant d'un pas de fauve qui va surprendre sa proie. Asselin constate qu'il a deviné juste, Jean Brigadier se penche sur l'une d'elles et lui parle avec des grands gestes de surprise simulée. La blonde a sursauté et puis a reculé en l'apercevant. Elle semble n'en pas revenir, recule et avance vers lui, se décide à lui faire la bise et puis l'entraîne de force vers le rivage à rouleaux blancs. Brigadier se laisse faire un moment, puis se libère de la blonde pour courir à toute vitesse vers la mer. Asselin aurait envie de lui crier de revenir, mais n'en fait rien. Un enfant mal grandi, songe-t-il. La noiraude, elle, déplace maintenant un parasol rouge et blanc et s'allonge avec volupté sur une longue serviette de plage noire, indifférente à ce « survenant ». Charles se dit qu'elle ne peut pourtant bronzer davantage. Brigadier vient de mettre un pied dans l'eau et bondit en arrière sous la brûlure du froid, il se tord, il grimace, gesticule, rit.

Le voilà qui passe un bras affectueux au cou de la blonde, ils reviennent vers l'autre fille. C'est lui qui parle. La blonde écoute en faisant voler du sable avec ses pieds. La marée est descendante. Une nuée de goélands gourmands entoure subitement une grasse bonne femme enveloppée d'un sari safran, elle leur jette des pretzels. Les oiseaux piaillent ardemment, deux enfants viennent vite quêter de cette pitance pour jouer avec les goélands, un s'accroche et le sari tombe ! La dame est en bikini zébré !

Asselin songe au moment où il annoncera à l'ex-duchesse la fin abrupte de ses vacances. Si Brigadier peut se ramener au plus tôt, il apprendra sans doute où loge Danielle Palazzio.

Brigadier fait une autre bise, on vient de lui présenter la noire qui se contentait pourtant de lui offrir une simple poignée de mains. Enfin, sans elles, hélas, Brigadier lui revient, passe par la rampe bétonnée de la plage.

— Patron, ça y est, notre soirée est planifiée. On va pouvoir les faire jaser. D'abord homard vivant et ébouillanté chez *Barnacle* à Perkins Cove, c'est au bout du Shore Road. Ensuite, du jazz, live, dans un vieux manoir-restaurant, le *Dunelawn*, c'est juste ici en arrière de la lagune. Content ?

— Question : c'est bien Mariette Lagadie, oui ?

— Mais oui ! Et elle est toujours scripte à Radio-Canada. L'autre, c'est Monique Gallant, une recherchiste-documentaliste. Une pigiste comme vous, chef !

Il s'assoit près de lui, fier et satisfait des prémices.

— Et Danielle Palazzio ? C'est elle qu'on cherche, Brigadier !

Brigadier semble n'avoir pas entendu :

— Mariette vient de me dire que c'est terminé, son gros Charron. Est libre. Je peux vous dire que nous deux, ça a cliqué tout de suite !

Il fait résonner son majeur sur son pouce et mâche de plus belle.

— On a un boulot, le jeune. Vous avez parlé de Danielle ?

— Faut y aller doucement, chef ! Disparue la Danielle ! Oui, disparue subitement.

— Où ça, elle vous l'a dit, j'espère ?

— Elle sait pas. Depuis jeudi, plus de nouvelles !

— Bon, allez vite me les chercher, vite.

— Un instant. Je vous explique : vaut mieux jouer les vacanciers pas pressés. Me voyez-vous venir, patron ? Je sens qu'il y a du mystère dans l'air, du mensonge.

Asselin en avait par-dessus la tête, il lui donne une taloche du revers de la main sur son avant-bras et se retient de ne pas gueuler.

— Vous allez m'écouter, mon petit bonhomme : nous sommes ici en mission. Urgente et délicate. Pendant que vous jouez le « Casanova », la police d'ici peut recevoir un avis de recherche et nous enlever la fille du sous-ministre sous le nez. Compris ? Allez vite me chercher les deux filles.

Brigadier se forge un visage de grand stratège :

— Vous voulez pas écouter mon plan ? Mine de rien, dès ce soir, je bombarde Mariette et je vous reviens avec l'adresse de la cachette ! Gagez-vous ?

Asselin éclate et lui articule à voix forte :

— Non ! Il en est pas question. Allez immédiatement leur dire que nous sommes chargés de retrouver tout de suite leur amie Danielle. Grouillez !

— Minute, je vous ai pas tout dit, calmez-vous. Ce n'est pas Danielle qui a loué le chalet, c'est Mariette et Monique. La duchesse s'est amenée dans la place il y a pas vingt jours, à la mi-août. Mariette m'a dit avoir vu rôder son chum Dédé Bucher et, comme ils disent à Paris, Mariette a senti qu'il y avait « de l'eau dans le gaz » entre la Palazzio et le Dédé.

Charles tente de rester calme ; il baisse la voix :

— J'ai une intuition ! Toute votre ancienne bande d'amis de *La Promenade* pourrait bien tremper dans le trafic de Mastano, à divers degrés. Il faut agir très vite, au cas où !

Charles chasse l'idée que Brigadier pourrait y avoir trempé lui-même et qu'il chercherait à gagner du temps, brouiller les pistes. Il se dit qu'il a trop d'imagination à l'occasion et il se calme davantage.

— Ça m'étonnerait, patron, ces filles-là ont un emploi solide.

— Bien. Allez me les chercher.

— Faut pas avoir l'air de policemen avec des menottes à la ceinture !

Asselin s'exaspère de nouveau, décidément on lui a collé une cervelle d'oiseau ! Il n'en revient pas :

— Ça suffit comme ça ! Ces filles ont une voiture stationnée probablement ici, dans ce parking. Vous allez expliquer qui nous sommes exactement et pourquoi on est ici, je prends l'auto, je me rends au chalet et je vous donne cinq minutes à tous les trois pour venir m'y rejoindre. Exécution immédiate des ordres, Brigadier.

Asselin marche déjà vers la Buick, se retourne et voit son « chauffeur » immobile, perplexe, qui le regarde.

— Vite, filez à la plage !

— Attendez, ça ira plus vite si je les invite au motel que je viens de louer, c'est le *Norseman*, c'est à deux pas, regardez.

— Au chalet et rapido !

Asselin va ouvrir la portière de l'auto.

Il entend les cris de l'adjoint :

— Patron ! Sont plus là ! Venez vite voir !

Maintenant, Brigadier court au bout du parking, perd une sandale, la ramasse d'un geste habile, se retourne vers Asselin et lui fait de grands gestes :

— Venez voir, venez vite !

L'ayant rejoint, il voit comme lui les deux filles, de l'eau jusqu'à la taille, tenant leurs effets dans un sac sur la tête, qui marchent dans le bras de mer qui se vide lentement par la marée baissante. Ici et là, elles évitent de petits rochers à demi submergés.

— Elles sont pas venues en auto, elles coupent court pour rentrer à leur chalet.

— Brigadier ? Mariette sait que vous êtes dans la police ?

— Oui, elle sait. Elle m'appelait « le poulet rôti », le « flic-à-gomme ».

— Elle a voulu se sauver. Sait-elle qu'on a repéré leur chalet ?

— Mais oui, j'y ai dit ça. Non, vous connaissez pas les filles, elles ont voulu se pomponner pour le homard et le jazz. Préparatifs pour mieux séduire, connaissez-vous ça, une fille qui veut allumer ?

— Je le répéterai plus : on a un travail rapide à faire.

— Souvenez-vous, au palais de Justice, ils ont dit : rapide mais discret !

— Vous allez cesser de jouer le touriste, compris ? Au chalet et vite !

Ils vont vers la Buick et Brigadier a la moue d'un marmot morigéné par un papa coléreux.

— Je vais aller m'habiller au motel. Deux minutes.

— Deux minutes, Brigadier.

Il y court.

Asselin marche le long des boutiques, se commande un cornet de frites, y met du sel et... du vinaigre, même si Rolande n'apprécierait pas, elle le surveille sans cesse côté nutrition. Lui aussi fait donc le gamin libéré et il en éprouve une honte rentrée. Un garçonnet voit le vent lui plaquer un papier sali sur sa boule de crème glacée, il jette son cône et braille comme un veau. Une femme lui donne une taloche derrière la tête et il se tait d'un coup.

Brigadier réapparaît. Changé. Asselin avait remarqué les deux lourdes enveloppes d'habillement accrochées derrière le siège avant. Coquet à l'extrême, songe-t-il, son adjoint ! Il porte maintenant une sorte d'uniforme, une salopette d'un tissu kaki et qui fait des ballons à la taille et aux cuisses. Il le trouve drôle là-dedans, un peu semblable à un commando de débarquement en zone tropicale. Ou à un éboueur de l'an 2000 ! Asselin sourit.

— En voiture, patron ! On va sûrement les ramasser à mi-chemin !

Ni blonde, ni noire sur le Shore Road !

La Buick roule doucement jusqu'au chalet à moustiquaires.

Personne !

Ils découvrent une Datsun orangée stationnée derrière la modeste bâtisse. L'auto de l'une des deux filles, sans doute. Au pied du petit escalier de deux marches, près de la porte d'entrée, un grand plat de tôle vide. Pour un chat ? ou pour un chien ?

— Chef, voulez-vous qu'on aille visiter les boutiques ? ou les snacks ? On ne sait jamais.

— On bouge pas d'ici.

— Paraît qu'il y a du smoked-meat de première classe au delicatessen *Levy's* près du cinéma, ça vous tente ? Pour patienter ?

Asselin est à bout, il enrage de cet esprit folichon.

— Non, on attend ici.

Il va vérifier la porte grillagée. Elle s'ouvre.

À l'intérieur, la porte vitrée, elle, est verrouillée. Sur la galerie, il remarque un grand sac de plage avec un grand « D » brodé dessus.

— Brigadier, venez voir, un sac avec l'initiale

« D » dessus. Mademoiselle Lagadie vous a vraiment parlé du départ de Danielle ?

— Elle a dit : « disparue ». Comme ça ! La duchesse a pu changer de chalet tout en laissant un sac ici, non ? Mais mon enquête débute seulement.

— C'est de l'humour ?

— Vous appréciez pas trop ?

— J'apprécierais mieux si vous aviez su pourquoi Danielle a quitté.

— On va le savoir autour de nos homards, patron, dans pas longtemps.

Asselin fouille le sac : des tubes entamés de crème solaire, avec des numéros précis. Une paire de globes protecteurs pour les prunelles, en plastique blanc. Un gros peigne en forme de homard tronqué, une petite brosse à cheveux, quelques cheveux... bruns. Trois cartes postales de la région. Kennebunkport, Cap Neddick, Perkins Cove. Un paquet vide de cigarettes américaines. *Lucky Strike*. Un casque de bain. Déchiré un peu. Des mouchoirs de papier dans un sachet. Une grosse plume marquée *Cinzanno*. Une photo, type polaroïd : les trois grâces ! Enlacées. Souriantes. La blonde Mariette au centre, à sa gauche Monique-la-bronzée, à sa droite avec un sourire-grimace, Danielle Palazzio, jolie brunette qu'il faut vite retrouver.

Et tout au fond, dans de petites enveloppes : du sel, du vinaigre, du poivre et du ketchup.

— Pratique pour luncher sur la plage, chef !

Brigadier sort et va s'allonger sur un canapé branlant fait d'osier tressé. Il tourne son visage vers l'ouest, vers le soleil. Soupire d'aise, sourit. Ne mâche plus, il a craché sa gomme rose.

Un vieux matou vient renifler l'assiette de tôle et

s'en va la queue basse. Il miaule. Brigadier, d'un geste vif, ouvre son uniforme kaki. Il rit.

— Patron, regardez donc s'il n'y aurait pas du manger-à-chat ?

Asselin hausse les épaules, ramasse un numéro de *L'Actualité* et sort pour s'installer, cigarillo au bec, dans un des deux fauteuils d'osier. Il pose les pieds sur une table ronde de métal émaillé blanc mais qui rouille.

— Patron, une idée ! Vous rentrez au *Norseman*, moi, je leur arrache les vers du nez sans qu'elles se méfient, nos deux beautés. Servez-vous de moi, boss ! On agit séparément, je vous rapporte ma récolte après le homard. Bonne idée, non ?

L'inspecteur devine qu'il veut se débarrasser de lui ou bien il se fait des illusions sur la durée de cette mission. L'idée d'un Brigadier au passé peut-être pas très clair revient le hanter un bref moment. Il la chasse et se traite intérieurement de « parano » .

— Revenez sur terre un petit moment, Brigadier. S'agit pas d'une périlleuse enquête à propos d'une affaire criminelle ténébreuse. Nous sommes venus chercher la fille d'un sous-ministre inquiet de la voir mêlée au bavardage d'un Mastano. Point.

— O.K. O.K. C'était une tactique. Oubliez ça. Allez surtout pas vous imaginer que je cherche à me sauver de vous. J'ai pas honte, b'en au contraire, de travailler avec vous.

Brigadier avait si souvent entendu ses aînés lui vanter les succès de Charles Asselin ! Il en était venu, peu à peu, à souhaiter pouvoir le rencontrer un jour et lui parler, lui demander des conseils. Le hasard avait arrangé cette rencontre. Hélas, il s'agissait d'une affaire insignifiante. Et Charles Asselin, en fait, se révélait un homme plutôt distant. Il devinait même du mépris. Secrètement, il souhaite maintenant une Palazzio introuvable, et aussi mêlée peut-être à un gros trafic.

Asselin jugeait son « chauffeur » vraiment « poids plume » et, déjà, il se promet de protester énergiquement si jamais l'on tentait de lui imposer de nouveau l'aide de ce « mâchouilleur » vaniteux.

Il se lève pour aller examiner l'arbre-boucane du jardin. Il a souvent voulu faire pousser chez lui un tel arbre, si bizarre. Il cherche un moyen de se prendre une bouture, mais comment la conserver jusqu'à Montréal ?

6

Monique Gallant et Mariette Lagadie ne se montrent toujours pas et l'après-midi tire à sa fin. Le soleil va disparaître bientôt complètement derrière les toutes petites collines à l'ouest, au-dessus du village. Pendant qu'Asselin est allé marcher dans les environs, Brigadier, à son tour, est pris d'une sorte de soupçon : il se pourrait que son grand homme, son héros, ce Asselin dont on lui a vanté l'intégrité si souvent, en vieillissant se soit ramolli. Il se demande si le limier n'en sait pas plus long que lui sur cette affaire, si, peut-être, la fille du sous-ministre n'est pas plongée au cœur même de cette histoire Mastano. Pourquoi Asselin semble si pressé de ramener la duchesse ?

Il chasse vite ce petit soupçon, il met cet empressement sur le compte du zèle.

Dans la rue principale, pas loin du chalet, Asselin examine les deux vitrines d'une galerie de tableaux, « marines » en tous genres, mer au crépuscule rubescent, mer à l'aube jaunâtre, voiliers antiques stoppés sur une mer étale ou voiliers sous un vent violent, vaguelettes aux frisettes échevelées, vagues furibondes battant des rochers épointés, c'est le défilé typique des archétypes maniéristes.

La peinture bien épaisse fait voir tous les bleus, du

turquoise à l'émeraude en passant par le jade exotique d'une mer inimaginable même sous les tropiques. Vaisseaux de corsaires, de pirates à l'ancienne, ou simples bateaux de plaisance. Grandes voiles paresseuses, ou voiles gonflées à bloc face à la furie des éléments. Ciel clément et impavide ou ciel annonciateur d'ouragans imminents. Un artisanat banalisé fabriqué par des tâcherons habiles pour les amateurs de « clichés ». Asselin, pourtant, aime bien cette peinture sans prétention, rassurante, il y trouve une sorte d'humour, il jurerait entendre rigoler ces « faiseurs » quand ils se livrent à cette production courante qu'on retrouve dans toutes les boutiques des stations balnéaires. Il revient vers le chalet en se disant que tous les métiers sont honorables, même ces petits métiers aux antipodes de la recherche picturale de pointe. Il arrive au chalet.

Brigadier dort, il ronfle un tantinet, bouche ouverte, dents sorties. Charles se place derrière lui, met ses mains en porte-voix et crie :

— Attention, on va sombrer, Brigadier !

Le grand sec tombe à bas du vieux canapé, gueule un « outch » et se relève aussitôt pour apercevoir Asselin tout sourire.

— Les demoiselles ne reviennent pas vite.

— C'est curieux, chef, je l'avoue.

— Le grand air vous endort ?

— Faut croire.

— Brigadier, dites-moi, leur avez-vous parlé d'un Mastano arrêté, de drogue ?

— B'en voyons, patron, je suis plus futé que vous pensez. Pas un mot là-dessus. Pas fou.

Le jeune policier s'étire, bâille puis frissonne. L'air se refroidit peu à peu.

— Chef, donnez-moi cinq minutes, je grelotte dans ce linge-là, je cours au motel pour me changer et je reviens sur une pinotte ?

— Allez-y et prenez tout votre temps.

Brigadier fait crisser les pneus et Asselin grimace, puis il est entré de nouveau dans la véranda et s'installe, à l'abri du vent, sur un vieux fauteuil de cuirette bourgogne. Il se relève pour allumer une lampe sur pied d'un rococo affreux, comme d'ailleurs tout le reste de l'ameublement. Il se prend une revue parmi un lot, sur une tablette d'une table à café fort abîmée, *Clue*, un périodique à l'usage des touristes. Le magazine vante les vertus de toute la région. Série de placards publicitaires : les *famous* restaurants du comté de York. Les « puces » aux objets rarissimes, *flea market* en tous genres. Musée de vieilles autos à Wells. Le « Vieux-Portsmouth », quartier rénové à coup de millions. *Summer Theater* d'Ogunquit avec un grand succès de Broadway, comédie musicale vieillotte. Chez *Viking's*, trente-quatre essences de crème glacée. Tennis et piscine à tel motel nouvellement construit. Condos à prix raisonnables au *Lookout*. Golf majestueux à Biddeford Pool. Souliers au prix de la manufacture à Saco. Vaisselles et chaudrons importés de Scandinavie à York... Et de minces articles pour aérer ces blocs d'annonces.

Asselin y apprend la mort d'un jeune homme qui fut jadis élevé par une meute de loups dans une forêt du Maine ! Asselin s'est toujours amusé à lire ces publications sans prétention. Tiens, en effet : soirée de jazz live au *Dunelawn*, ancienne résidence d'été d'un gouverneur de l'État de New York. Un reportage parle du séjour à Ogunquit du fameux Rudolf Valentino, anecdotes amoureuses du cru. Un article parle du temps du grand rallye automobile des années 1920-1930. Un autre raconte le séjour du célèbre peintre Matisse et d'un Picasso maussade quittant rapidement Ogunquit, n'en aimant pas le climat qu'il jugeait trop humide.

Don Juan-Brigadier ne revient pas bien vite, à son habitude. Asselin examine les traîneries dans cette véranda : une paire de souliers de bain sous une petite armoire à verres, inutiles sans doute, la plage étant partout d'un beau sable fin. Une petite machine à écrire *Olivetti*, brisée. Des pièces encombrent une table de coin et le ruban est déroulé, faisant de grosses boucles rouges et noires, elle devait servir à la recherchiste, Monique Gallant. Dans un coin, un grand sac de plastique contient du linge sale ; il y a une buanderette pas loin ? Une large boîte à pizza déchirée en deux gît dans un panier à papier peint noir. Fast food hier soir ? ce midi ? Une rangée de bouteilles vides : bière, eau gazeuse, eau minérale surtout. Laquelle des deux digère difficilement ?

Coups de klaxon, grimace d'Asselin. Des rires, des cris, il voit « don Juan », chandail de grosse laine beige noué autour du cou, pantalon de velours côtelé marron, souliers blanc-et-chocolat. Il ouvre la portière et sortent de la Buick une blonde et une noire, rieuses, enthousiastes. Brigadier fait le galant, sort sa fine chemise de soie au rouge criard de son pantalon, se peigne vivement.

— Salut ! Je vous ramène le butin perdu, patron !

Les dents lui allongent, vaste sourire de satisfaction.

— Bonjour ! Je suis Mariette Lagadie, vous êtes l'inspecteur Asselin ?

— Oui, je cherche mademoiselle Pa...

Il n'a pas le temps de terminer, Brigadier pousse devant lui la noire :

— Voici Monique Gallant, la colocataire du chalet, attention, patron, c'est l'intellectuelle de la place.

— Mademoiselle Gallant, je dois vite retrouver Danielle Palazzio.

Brigadier s'interpose de nouveau :

— Ouow ! Pas trop vite, elles sont au courant, chef ! D'abord, on va au homard steamé. Savez-vous que c'est le plus fameux au monde, le homard du Maine ?

Asselin regarde les deux filles déposer leurs sacs de plage dans la véranda.

— Où étiez-vous passées, mesdemoiselles ?

C'est encore Brigadier qui répond, goguenard, de bonne humeur :

— Patron, elles sont allées en haute mer, les démones, pendant qu'on poireautait ici.

Mariette quitte la véranda pour entrer dans une des pièces du chalet, elle parle à haute voix de sa chambre où elle se change :

— On avait arrangé ça hier soir. C'est un vieux riche du nom de Ben Kahn, il a un yacht superbe dans Perkins Cove. Il revient de l'île Miquelon et s'en va vers le Nouveau-Mexique demain matin. Ben insistait pour qu'on l'accompagne. On a refusé. Poliment.

Monique Gallant hausse la voix à son tour, en train de se changer elle aussi :

— On a vu les pêcheurs du large qui vérifiaient leurs cages à homard.

Asselin note qu'elle a une voix grave, et un ton de tristesse, qu'elle n'a certes pas le caractère enjoué de Mariette Lagadie.

— Chanceuses, va ! Patron, il paraît que c'est un spectacle, toutes ces petites bouées multicolores qui marquent l'ancrage des cages, un spectacle !

Les filles réapparaissent, vêtues sobrement, l'une a une veste de laine blanche décorée de broderies de lainage en haut relief, l'autre porte un chandail noir aux manches bizarrement larges.

— Pouvez-vous me dire où je trouverai cette Danielle, mesdemoiselles ?

Brigadier l'interrompt encore :

— Doucement l'interrogatoire, m'sieur Asselin, doucement ! J'ai faim comme un loup ! Tout le monde en voiture ! On jasera en long et en large chez *Barnacle*.

Il sort, elles le suivent, Asselin entend le « clac » de la porte derrière lui. Mariette Lagadie vient le secouer et lui prend un bras :

— On en sait pas bien long. Je vous avertis. On est inquiètes mêmc. Jean m'a dit que vous étiez un patron tyrannique, c'est vrai, ça ?

Elle s'installe sur le siège arrière de l'auto et lui fait signe de s'asseoir près d'elle, Asselin soupire et s'y engouffre en grognant un peu.

Brigadier se glisse dans son beau chandail beige, se recoiffe en vitesse, s'installe au volant avec des bruits de bouche signalant sa grande hâte de bouffer. La noiraude s'assoit à son côté, visage fermé, bouche cousue. Il aurait préféré avoir la blonde près de lui, se dit Charles amusé.

— Bon, on y fonce, vous allez voir ça, boss, chez *Barnacle*, paraît que le homard est suc-cu-lent !

La blonde script-girl lui serre un avant-bras.

— Je vous le garantis.

Mariette se pourlèche bruyamment les lèvres.

— Mademoiselle Lagadie, vous l'avez vue quand exactement pour la dernière fois ?

— Monsieur l'enquêteur, je parlerai quand j'aurai avalé mon homard, pas avant !

— Bravo, Mariette, bravo !

Brigadier s'agite et pousse son grand rire triomphant.

Asselin est vraiment agacé par le comportement de l'adjoint.

— Jean, explique à ton patron que nos vacances s'achèvent, qu'on veut en profiter.

— Ah, j'suis rien que le chauffeur de mon maître, je décide de rien, moi.

Rires et dents.

Asselin enrage, il est aux prises avec l'« esprit-des-vacances », il se referme comme une moule. Il se console bientôt en songeant qu'il est, lui aussi, amateur enragé de homard.

— Jean, t'en souviens-tu, ça doit faire, quoi, deux ans, ou trois ? La dernière fois qu'on s'est vu, la bande, c'était en excursion dans les torrents de la rivière Rouge ?

— Maudit, oui, je m'en rappelle. On a assez ri, pas vrai ? Les radeaux à l'envers !

— Mouillée jusqu'aux os, je m'accrochais, j'avais peur et toi tu riais, tu chantais : « C'est l'aviron qui nous mène, qui nous mène... » Mon sacripant !

Brigadier entonne « c'est l'aviron ». Asselin veut refroidir l'hilarité ambiante, alors il gueule en articulant bien :

— Est-ce qu'un certain Marcel Mastano était de l'excursion ?

Un silence se fait aussitôt dans la voiture. Mariette regarde Asselin :

— On l'a arrêté à l'aéroport de Mirabel, paraît ?

— Patron, je le jure ! J'ai rien dit. Pas un mot.

— J'ai appris ça en téléphonant à la mère de la duchesse, Danielle. Oui, je voulais savoir si, par hasard, elle avait des nouvelles de sa fille. Elle m'a dit qu'elle a entendu ça à la radio ce matin, l'affaire Mastano.

Monique se tourne vers l'inspecteur :

— Mastano, monsieur Asselin, c'est de l'histoire ancienne. Danielle a coupé avec lui depuis qu'elle est devenue scripte.

— Mademoiselle Gallant, notez bien ceci, quand une enquête s'ouvre, ça va fouiller dans le passé des gens. Quatre ou cinq ans, c'est jeune dans une enquête de trafic de stupéfiants. Vous comprenez ça ?

Un silence épais de nouveau dans l'auto rouge.

C'est Mariette-la-blonde qui va parler la première :

— J'y ai toujours dit, à notre duchesse, tu t'en souviens, Monique ? J'ai jamais aimé son beau Mastano, ses manières mielleuses, j'y ai souvent dit de se méfier, qu'il avait l'air louche. C'était pas payant, *La Promenade*, et pourtant il menait le gros train de vie, la Mercedes de luxe et tout et tout.

Monique ne commente pas. Un ange passe.

Mariette Lagadie n'a jamais été épatée par le faste. C'est la fille d'un important propriétaire de magasin d'instruments de musique, son père a déjà possédé une Porsche. Ses parents voyageaient constamment pour affaires et plaisir, en amoureux. Elle a été l'enfant un peu encombrant d'un couple très uni, très amoureux. Mariette fut pratiquement élevée par ses grands-parents, Raoul et Maud. Elle a souvent eu l'impression d'être presque une intruse dans la maison familiale. Sa mère était coquette à l'extrême, craignait de vieillir tous les matins et passait de longs temps dans la salle de toilette. Mariette était une jeune fille élevée très librement par cette vieille Maud Lagadie aux idées laxistes. Elle cherchait l'amour avec un grand « A ». Mariette se dépêchait de trouver l'homme parfait. Un homme comme son père, à genoux sans cesse devant l'épouse idolâtrée. Elle était candide, elle était pressée de quitter ce nid d'amoureux pour aller former un autre couple « parfait », ailleurs. Sa naïveté congénitale lui avait fait choisir des garçons rêveurs, mous, insouciants et qui la trompaient l'un après l'autre. Peut-être voulaient-ils fuir cette jeune fille en urgence de se caser, de se marier, soupirant après cet idéal de former « le couple idéal » à l'image de ses parents ? Le gros Charron, en bout de ligne, avait été le commencement de son réveil. Toujours angoissé, Mariette s'était élue la seule femme capable de le calmer, de le soigner, et puis, se disait-elle, quand il aura pris confiance en lui, il deviendrait un artiste solide, reconnu, et aurait forcément une éternelle reconnaissance pour « l'infirmière-dévouée ». Après beaucoup de souffrances, pas mal de masochisme, elle avait fini, récemment, par trouver le courage de rompre avec cet être anxieux à l'inspiration toujours défaillante, aux ambitions démesurées.

Mariette ne ressemblait pas à son amie Monique. Elle était devenue la fille libre qui a un bon métier, qui refusera désormais la « sinistrose ». Monique Gallant, elle, n'avait pas connu cette existence douillette dans la banlieue de Cartierville, elle venait de Caraquet, elle avait eu une enfance heureuse mais pauvre, et quand son père, petit épicier du Nouveau-Brunswick, mourut, elle avait quinze ans, sa mère revenait s'installer dans le Repentigny de sa jeunesse. Ce fut une sorte de catastrophe. Monique Gallant traînait sans cesse des images idéalisées de son enfance au bord de la mer. Maintenant, elle en était rendue, par une nostalgie qui s'amplifiait, à souhaiter s'installer quelque part dans cette région des côtes du Maine. Elle s'imaginait qu'il serait possible de retrouver cette belle enfance interrompue si brutalement, cette patrie de son cœur dont elle arrivait mal à se détacher. Elle détestait la vie urbaine. Elle jouait maintenant la sauvageonne et râlait souvent, promettant de plus en plus à tous ceux qu'elle rencontrait qu'un jour elle allait retourner là-bas, du côté de la Baie des Chaleurs, vers cette campagne qui, disait-elle, l'avait marquée si profondément.

7

Aussitôt arrivés devant le restaurant *Barnacle*, c'est un grand cri :

— Tout le monde descend ! Terminus ! Je vais aller stationner le char !

Des clients font la queue dehors. Malgré la fraîcheur de la soirée, il y a toujours une atmosphère de liesse dans l'air. La kermesse nommée *Été* prendra fin vraiment avec ce *Labor Day*. Cette extrémité du Shore Road, Perkins Cove, est envahie de promeneurs sereins qui déambulent d'un pas mesuré, lent. Tout près, Asselin voit la flottille des barques, caravelle moderne de tous les petits ports de plaisance. Des cris fusent, des garçons-valets prennent en charge les voitures des clients des meilleurs restaurants du site. Et ainsi Brigadier revient rapidement vers les autres, tout guilleret, sautillant comme l'enfant qu'on amènerait au cirque. Il prend la taille de Mariette :

— Oh toi, blonde incendiaire ! si tu savais ! J'ai souvent pensé à toi !

— M'sieur Asselin, votre adjoint est le pire dragueur au monde, le saviez-vous ?

— Mademoiselle, monsieur Brigadier n'est pas mon adjoint vraiment et il ne vous importunera pas longtemps. Nous repartons demain matin, avec mademoiselle Palazzio.

Asselin voit le regard de Monique Gallant qui s'assombrit :

— On va l'arrêter à cause de Mastano, c'est ça ?

— Non, il y a que son père la réclame. Par simple précaution probablement.

Ils entrent, reçoivent un numéro et Mariette demande le choix de chacun. De jeunes marmitons, derrière un long comptoir-vivier, bourdonnent d'activités diverses, abeilles survoltées. Mariette a donné la commande générale et une hôtesse conduit le groupe à une large table toute proche d'une grande fenêtre donnant sur la crique.

— Regardez ça, patron, on dirait pas un tableau de musée, hein ?

Brigadier commande deux pichets de vin blanc.

— L'addition sera pour nous, pas vrai, boss ? On peut dire qu'il s'agit de deux indispensables informatrices ?

— Mais oui. Maintenant, est-ce que je peux reposer ma question pour Danielle ?

— Non ! On mange d'abord, j'ai dit ! Mais j'aimerais que vous me disiez si Jean est un bon détective, m'sieur Asselin.

— J'ai jamais rencontré, ni vu travailler Jean avant hier. Je peux pas me prononcer.

On rit.

— Dans le temps, à *La Promenade*, je peux vous dire qu'il n'arrêtait pas de se vanter. À l'entendre, sans lui, toutes les forces policières paralysaient.

On rit.

— Toi et ton gros sculpteur à tes crochets, c'était toujours les p'tites farces plates, hein ?

— Je l'avoue, tu nous faisais rire. Tu étais notre « tête de Turc ». Quand tu disais partir en « mission », entre nous, on en avait mal au ventre. T'étais menteur, mythomane et vantard !

Monique renchérit :

— Moi, je l'ai pas connu « jeune flic », mais on m'a parlé de ta grande margoulette !

Brigadier fait une moue enfantine. Asselin en a pitié un peu :

— J'peux quand même vous dire qu'un de ses supérieurs m'en a fait un pedigree élogieux.

Brigadier lui adresse un regard éperdu de reconnaissance. Ému vraiment. Mariette lui applique un sonore baiser au milieu d'une joue.

— On l'aimait bien quand même. Son grand mérite : toujours de bonne humeur ! C'est pas rien.

Un haut-parleur annonce le numéro-commande de Mariette. Un cri ! Brigadier se rend au comptoir et Monique décide de l'aider.

— Ça restera entre nous deux, mademoiselle Lagadie, savez-vous si Danielle se droguait ?

La blonde scripte semble gênée. Elle regarde autour d'elle.

— J'pense pas. Non, je l'aurais su. Je le verrais bien, écoutez ! Des pofs de mari, oui, comme tout le monde. Rien de plus.

— Dites-moi une chose : avant qu'elle quitte le chalet, elle a parlé de Mastano ?

— Pas du tout. Non. Elle en parle plus jamais. C'est le passé, tout ça. Il y a juste que son grand chum Dédé, b'en, aussitôt qu'elle a su qu'il venait d'arriver dans le paysage, elle a pris ses petits pis « bonjour les filles ».

— C'est vrai qu'ils sont inséparables ? Ils forment un couple ?

— Bien, un couple, c'est délicat... ça me regarde pas. André Bucher, c'est pas un genre...

Mariette se tait puisque Monique et Brigadier s'amènent les bras chargés des moules, des homards, des pains à l'ail, des petits pots de beurre.

— À la bouffe, les amis ! Patron, des missions dans ce genre-là, amenez-en ! Je suis votre « chauffeur » volontaire !

Mariette et Jean mangent gloutonnement, Asselin observe Monique Gallant qui semble mystérieusement absente, renfermée. Elle a des gestes d'un calme mal contrôlé. Asselin se dit qu'il s'agit peut-être d'une nature taciturne. Les moules disparaissent vite de leurs coquilles, les homards sont déjà déchiquetés, la table de bois vernie est vite jonchée de coquilles vides, d'écailles roses. Le vin se vide rapidement.

— On pourrait vous faire visiter toute l'anse, il y a même un joli pont-levis. Les boutiques tout au bout, c'est un rêve, un entassement curieux de cabanons vieillots.

— Pardon, je m'excuse, mais, mademoiselle Lagadie, faudra tenir promesse. Je suis... nous sommes au travail tous les deux. On cherche quelqu'un, vous le savez bien.

— Les filles, mon boss badine pas avec l'ouvrage !

Asselin veut lui jeter un regard de courroux, mais Brigadier se penche, allonge les dents pour arracher un reste de viande au fond d'une pince.

— Si vous aimez bien Danielle, il faut vite m'aider à la retrouver.

— On sait pas où elle est, c'est la vérité.

— Écoutez-moi bien, je sais pas si je suis autorisé à vous dire ceci : Marcel Mastano parle, il collabore. Vous comprenez ? Le nom de votre amie a été mis sur la table.

Pour une fois, Monique parle :

— C'est tout simple, mercredi, qui c'est qui s'amène au chalet ? Son cher Dédé. Bucher. Le chanteur showman. On venait de faire la vaisselle.

Monique baisse la tête. Ne dit plus rien. Mariette ajoute :

— Danielle s'est jetée dans ses bras. Ils sont sortis sur le patio. On repartait pour la plage, hein, Monique ? quand la duchesse nous a dit qu'elle allait s'installer chez Dédé.

Monique se contente d'approuver de la tête.

— On s'en fichait pas mal, nous deux, une de moins à salir de la vaisselle !

Elle rit. Brigadier aussi. Dents.

— C'est tout. Elle a ramassé ses affaires, nous a fait des adieux comiques. On lui a demandé si on allait la revoir avant la fête du Travail, on a loué jusqu'à mardi matin.

— Où loge-t-il, le chanteur Bucher ? Vous le savez, j'espère ?

Brigadier, qui aime voyager, souhaite entendre Cape Cod ou le Rhode Island.

— C'est juste à côté, en sortant d'Ogunquit, ça s'appelle Drake Island, paraît qu'il est avec ses musiciens ou ses compositeurs, j'sais pas trop. C'est le genre à traîner son cirque. Savez-vous qu'il va s'essayer bientôt à Broadway ?

— Avez-vous le nom d'un motel ou d'une auberge, un nom de rue ?

Un certain silence. Asselin a l'impression qu'on fait du mystère.

— Quoi ? C'est un secret d'État ?

Monique parle encore un peu :

— C'est que Bucher aimera pas trop se faire déranger. Ils travaillent. Et fort, je suppose.

— Je vous le répète qu'il faut songer seulement à votre amie Danielle. Je vais vous en dire un peu plus long, la police des États-Unis pourrait vouloir la questionner. À sa façon.

— C'est un vieux chalet, il paraît. Immense. J'ai l'adresse dans mon sac.

Mariette ouvre son sac, sort un bout de papier chiffonné, griffonné par la duchesse :

— C'est là, c'est écrit. Sa mère est pas en bonne santé et Danielle m'avait dit : « Au cas où ça empirerait. »

Asselin est déjà debout :

— Merci, mademoiselle. En route, Brigadier !

— Vous voyez comment il mène les filles ? Un bourreau de travail ! On va vous reconduire au chalet, c'est la moindre politesse.

— Non. On va aller bouquiner. Il y a cette vieille librairie qui vient d'ouvrir. Paraît qu'ils ont des albums anciens des années folles !

Monique vide son verre de blanc et lui sourit timidement.

Brigadier, debout, vide aussi son verre :

— On va avertir Danielle de se préparer pour demain matin et je vous reviens. Le jazz !

— Prenez votre temps, ça commence pas avant dix heures au *Dunelawn*.

Brigadier embrasse Mariette avec affection, clin d'œil à Monique, et il va rejoindre Asselin déjà sur le trottoir.

Brigadier donne son ticket au valet du parking privé.

8

Ils roulent vers le nord sur la 1-A, vers Drake Island. Vers Bucher et Danielle.

Asselin se demande d'où vient cette résistance flagrante à donner tout simplement cette adresse. Il imagine des choses mais se tait. Brigadier, lui, se sent heureux, délivré de la mission. Ils parleront à la duchesse, il reviendra pour le jazz aussitôt.

La Buick tourne à droite à l'annonce de Drake Island. La noirceur monte maintenant des quatre horizons. Asselin déplie le papier chiffonné.

— Roulez doucement maintenant.

Une mouffette traverse la route en trottinant, enceinte, énorme, elle s'avance pesamment, ses yeux ont fait deux petits éclairs dans le soir. Au bout du chemin, sous l'éclairage lunaire, la mer a pris un aspect inquiétant.

— On va à droite ou à gauche, ou b'en direct dans l'océan, patron ?

— J'sais pas plus que vous. Essayons à droite d'abord.

La Buick roule donc vers le sud. Asselin vérifie numéros et noms d'avenues.

— Stop ! C'est là ! Pas beaucoup de lumière, hein ? Pause syndicale chez Bucher ?

Les deux hommes sortent de la voiture. Asselin,

de paille sur sa tête. Ils marchent sur un chemin pavé de briques sombres. C'est en effet un vaste chalet de bardeaux rouillés. Brigadier suit en sifflotant malgré son chewing-gum.

— Attention, patron, il y a une chaîne là !

Une chaîne cadenassée barre le sentier qui monte à peine vers le monticule où trône le vieux chalet. Ils enjambent la chaîne. Deux voitures sont stationnées, une BMW grise, luisante, une Audi plutôt luxueuse. Très loin, un chien jappe sans ardeur, le bruit cadencé des vagues en est fracturé.

— Voulez-vous que j'aille demander pour Danielle ? Vous nous attendez, je vous l'amène.

— Non. Je vous accompagne.

Brigadier fait claquer un heurtoir d'acier poli. Il y a aussi une cloche de bronze mat, il va en agiter le goupillon. Une ombre se profile par les fenêtres, rideaux qu'on soulève. L'ombre descend un escalier intérieur. On fait de la lumière un peu partout. L'ombre est un jeune homme aux cheveux pourtant tout gris, visage poupin sous une abondante crinière de quinquagénaire :

— Qu'est-ce qu'il y a ? Que voulez-vous ?

— Parler à mademoiselle Palazzio, s'il vous plaît.

— Est pas là ! J'suis tout seul ici dedans.

Il veut refermer la porte.

— Vous l'attendez pour bientôt ?

— Je sais pas quand ils vont revenir. Aucune idée.

Asselin lui fait voir sa carte officielle et le jeune-vieux sort des lunettes rondes cerclées de métal blanc.

— Ah bon ! Danielle habite pas avec nous autres. On travaille, nous autres. On prépare un spectacle toute la gang.

— Monsieur Bucher n'est pas là ?

— Non. Il s'est donné un petit congé. Souper au *White Barn* de Kennebunk, pis après, b'en, je suppose qu'on va reprendre l'ouvrage.

— Vous êtes sûr ?

Quand Brigadier se prend une grosse voix de gorge, ça fait sourire Asselin.

— Parce qu'on a pas de temps à perdre, si vous êtes sûr de ça, on va l'attendre.

— Euh... je fais un peu de fièvre, j'ai fait une gastro, euh... j'pense qu'ils vont aller au jazz, à Ogunquit. Ils ont parlé d'y aller, en tout cas.

— Au *Dunelawn*, c'est ça ?

— Oui, un nom qui sonnait comme ça, oui.

Asselin est déjà en marche vers la voiture. Brigadier le suit.

— Vous l'avez entendu, patron ? Danielle ? Pas là !

— J'aime pas ça, Brigadier. Pas du tout.

— Patron, j'ai remarqué le bras du grand gris, tout picoté ! Aiguilles, ça, seringues, chef ! J'ai comme l'intuition qu'on est sur une drôle de piste.

— Brigadier, méfiez-vous de vos intuitions, ça peut nuire à l'avancement, des fois. Je vous parle d'expérience.

La Buick sort de Drake Island. Reprend la route vers Ogunquit. Brigadier modère soudain :

— Mariette m'a dit qu'on peut aller au manoir par le bord de l'eau du côté de la rivière, ou b'en par un chemin, ici, en face du cinéma. On y est, en face du cinéma.

Un écriteau très discret finit par être aperçu.

— Allez-y vite.

— Chef, c'est pas avant dix heures, le jazz, oubliez pas, Bucher doit pas être arrivé. Regardez, c'est pas loin de notre motel, juste de l'autre côté de la rivière, j'aurais besoin de me changer.

— Encore ?

— B'en, un concert, même de jazz, c'est un concert.

— En vitesse, Brigadier, en vitesse.

Asselin se dit qu'il pourrait en profiter pour téléphoner chez lui.

Brigadier roule jusqu'au bout du petit sentier de gravier et va faire un virage à 360°. Les jardins du manoir sont jolis. L'édifice néo-renaissant avec son vaste portique à colonnade, ses terrasses à balustrades, ses portes-fenêtres à la française, est impressionnant.

Brigadier dirige l'auto vers le *Norseman.* Asselin fouille, ce « Danielle n'habite pas ici » l'intrigue énormément. Où est-elle ? A-t-elle été arrêtée par ici et gardée au secret ? Guère possible de nos jours. Alors ? Elle se cacherait ? Elle aurait déguerpi, alertée par la « fuite » ? J'imagine qu'elle a pu téléphoner à sa mère et ainsi savoir que Mastano a été pris et bavarde. Asselin recommence à douter de tout et de tous, de cette Mariette, jouant la bonne humeur, mais peut-être complice de cette disparition de la duchesse, de cette Monique, toujours taciturne... de Brigadier lui-même faisant le coq, l'insouciant, alors qu'il pourrait bien servir à protéger, mine de rien, une ancienne copine de cette *Promenade* rue Ontario.

Danielle Palazzio aimait bien son grand-père, un vieux garagiste roublard du vieux boulevard Décarie avant qu'on y creuse la voie rapide. Elle a moins aimé ce père, ambitieux militant politique, très actif dans les coulisses « affairistes ». L'avocat Mario Palazzio, son père, levait le nez sur le pauvre monde qui avait entouré sa jeunesse. Lui, il s'était enfin haussé dans le monde des « instruits ». Il avait élevé sa fille sévèrement à partir du jour où il s'installait à Québec, dans Sainte-Foy. Il s'était trouvé un emploi de « conseiller juridique » au ministère de la Justice. Mario Palazzio y fit du zèle et grimpa rapidement les échelons. Depuis qu'il était sous-ministre, grand cadre de l'État, il avait jalousement surveillé ses entourages et en particulier sa fille Danielle. Il avait été malheureux de lui voir un goût prononcé pour le monde du spectacle. Sa mère, épouse du fonctionnaire méticuleux, est une femme frustrée, elle aurait voulu devenir comédienne, avait suivi dans sa jeunesse des cours de diction, de piano aussi, mais son mariage avait stoppé cette envie de devenir une artiste. Elle encourageait, malgré les protestations du père, sa Danielle, elle la stimulait chaque fois que cette dernière s'engageait dans une activité quelconque des arts et spectacles. C'est elle, sa mère, Jovette Palazzio, née Barrier, qui avait collaboré activement à faire de sa Danielle une duchesse élue du Carnaval de Québec. Elle aurait pu devenir reine, mais papa Palazzio, subtilement, avait fait des pressions discrètes sur les organisateurs pour qu'au moins on lui évite cette « lumière », cet éclairage « vulgaire » sur sa fille qui serait devenue reine d'un carnaval.

Jovette n'a jamais pu lui pardonner. Pour la maman de Danielle, cette élection aurait pu permettre la montée définitive de sa chère Danielle au firmament des stars. Les querelles incessantes entre elle et son digne mari avaient sans doute fait naître cette maladie qui la rongeait, un mal psychosomatique. Jovette Palazzio souffrait en fait d'une double frustration : elle avait sacrifié une carrière d'actrice pour « garder » son beau Mario et elle devait sacrifier cette carrière hypothétique pour sa chère beauté, Danielle. C'était trop. Ce fut une minidépression mais chronique, inguérissable.

On peut imaginer la peur qu'éprouvait Mario Palazzio, bureaucrate émérite, tout dévoué au règne de la justice, qui craint maintenant le scandale qui ruinerait toutes ces années d'efforts, tout ce temps passé à se forger un portrait de noble justicier, de rouage vital dans l'administration de la justice. Une Danielle mêlée à un trafic de narcotiques ? Ce serait la fin de tout ce qu'il est.

Parking du *Norseman*.

— Voici votre clé, patron ! C'est le 46, moi, je serai au 26, c'est pas bien loin, il n'y avait plus rien, rien d'autre. Mais on a nos téléphones.

Asselin marche sur la coursive intérieure du *Norseman*, il se dit que son Casanova-policier a pris soin de mettre une certaine distance entre eux. Malin. Espoir de conquête ? Une nuit avec cette blonde Mariette ? Il sourit. Il entre au 46 et se jette sur un des deux lits. Il a fait taire le ronronnement de l'air climatisé. Il n'aime guère, à moins de chaleur suffocante. Il a ouvert la grande porte-patio et l'air salin vient tout de suite envahir sa chambre et la cuisinette attenante qui ne servira sans doute à rien. Après quelques minutes, il se redresse, il a envie de regarder la mer, la nuit. Et « ses reflets d'argent »... il chantonne *La mer* de Trenet. Lui aussi ?

9

Asselin a pris une douche, cela le stimule toujours, et Brigadier apparaît à la porte du 46, il est vêtu d'un chic complet de toile bleu pâle, souliers bleus. Charles, en lui ouvrant, songe à un richard du film *The great Gatsby*, à un personnage de Scott Fitzgerald. L'adjoint fait reluire ses dents en y passant la langue, à son habitude, et brasse son trousseau de clés :

— On y va, chef ? Il passe dix heures, le jazz est commencé.

— Vous reconnaîtrez Bucher facilement ?

— Pas de problème, patron.

Le vieux manoir-restaurant de nouveau. Brigadier avait téléphoné pour réserver une table et on conduit les deux limiers près d'un bar à l'arrière de la salle. Un quartet, trois Blancs et un Noir, exécute une ballade nostalgique. Un *negro spiritual* peut-être, songe Asselin qui s'y connaît bien peu en musique nègre. Brigadier, avant de s'asseoir, jouant le vieil habitué des lieux, a promené un regard aux alentours, a retiré sa veste, gardé son gilet bleu et relève un peu ses manches à frisons aux poignets. Il sourit d'aise, de bien-être. Charles aussi sourit, il a toujours envié cette sorte de zigue paressant à l'aise n'importe où, n'importe quand. Un don.

— C'est sombre, mais voyez-vous notre duchesse quelque part ? ou le chanteur Bucher ?

— Non, chef, mais je fouille, je cherche.

Le public semble goûter énormément la musique du moment. Les clients du *Dunelawn* sont super-attentifs. Musique envoûtante, si triste. Soudain, le maître de salle passe devant eux, suivi par trois jeunes gens aux cheveux coupés à la « punk », aux costumes bigarrés. Derrière le trio, une jeune fille tout enveloppée d'une vaste robe froufroutante, mode grand-mère des années 1900.

— Patron, vous avez vu, c'est lui ! C'est le performer Bucher !

— Cette fille, qui est-ce ? Elle n'est pas brune, ce n'est pas Danielle ?

— On va le savoir. Vous voulez que j'aille les « jaser » un brin ?

— Vous allez dire à Bucher de sortir et je vais vous attendre dans le jardin.

— Euh, je lui dis qui je suis, oui ou non ?

— Oui. On a plus de temps à perdre.

Asselin reçoit sa vodka-perrier, se lève verre en main et sort sans bruit, ne voulant pas briser cette atmosphère de recueillement. Dehors, la nuit est vraiment radieuse malgré le froid, l'éclairage des bosquets, des arbres et du vieux manoir rend le site quasi irréel. Il se sent bien. Il boit.

Brigadier s'amène, suivi par Bucher, un petit bonhomme aux cheveux rouges, au teint pâlot, aux mouvements nerveux. Il fonce vers Asselin.

— Qu'est-ce qui se passe ? Lui, il a rien voulu me dire !

— Bonsoir, monsieur Bucher. On vous retient deux minutes, nous devons retrouver Danielle, votre amie, Danielle Palazzio, c'est urgent.

— Pourquoi ? Sa mère ? Une mortalité ?

— Dites-nous seulement où elle se trouve, ça suffira, jeune homme.

Brigadier a pris sa grosse voix pour dire cela.

— Elle veut voir personne, je regrette.

— Son papa la réclame, nous devons la ramener à Montréal immédiatement.

Brigadier, voyant le mutisme agacé de Bucher, reprend sa voix « policière » :

— Dépêchez-vous de nous renseigner, sinon vous pourriez avoir à grimper là-haut, Bucher !

— Eille, ouow ! Minute, hein ? Qu'est-ce qu'il veut insinuer par là, votre acolyte ?

Asselin n'apprécie guère le zèle de l'adjoint, il a grimacé.

— Vous savez où elle se trouve, oui ou non, monsieur Bucher ?

L'artiste s'éloigne, marche vers une pergola, arrache une fleur d'un laurier grimpant, la fait tourner sous son nez. Il donne des coups de pied dans la pierraille rose d'une allée, regarde la lune, cligne des yeux.

— Elle n'est pas seule. C'est sa vie privée, tout ça.

Brigadier croit utile de s'interposer de nouveau :

— On cuisine un certain Mastano qui a été arrêté, il parle beaucoup. Beaucoup trop !

Asselin remarque que Bucher s'agite davantage. Il décide, lui aussi, d'en dire davantage :

— Le nom de votre amie Danielle est sorti, monsieur Bucher. Vite, où est-elle ?

— C'est du bavassage dégueulasse, Danielle a rien à voir avec Mastano. C'est fini depuis longtemps, ses contacts avec lui.

Bucher a une voix haut perchée, les gestes d'une

fillette survoltée et Asselin a du mal à comprendre que cet artiste aux allures d'efféminé soit le chum régulier de la duchesse.

— Si vous êtes vraiment un ami de Danielle, dépêchez-vous, parlez.

— C'est que... Je voudrais pas... C'est délicat.

Brigadier s'impatiente encore :

— Bucher, préférez-vous qu'on aille causer chez les policiers d'Augusta ou de Portland ?

— Faut me comprendre. C'est un secret entre nous deux. Je peux pas vous expliquer.

— Monsieur Bucher, voulez-vous, oui ou non, l'intérêt de Danielle Palazzio ?

— Il y a rien entre Danielle et moi. Je lui sers de paravent. Vous comprenez ? Je suis un *go between*. Son chum officiel pour la protéger.

— Finissons-en, jeune homme, où est-elle ?

— Il y a un homme marié dans sa vie. Et c'est pas n'importe qui. C'est clair comme ça ?

Bucher recule, fourre les mains dans les goussets d'un énorme pantalon-ballon couleur olive.

— Elle est avec cet homme marié, c'est ça ?

— Oui. Mercredi, qui c'est qui m'arrive à Drake ? Lui, l'homme secret.

— Son nom, s'il vous plaît, monsieur Bucher ?

— Corbo, Léopold Corbo.

Asselin l'inscrit rapidement dans son inséparable calepin rouge.

— J'ai joué mon rôle comme d'habitude. Il voulait la voir au plus tôt. Je savais où logeait Danielle et j'ai fait mon numéro d'acteur au chalet. J'ai l'habitude, c'est un peu mon métier.

Il a un ricanement amer.

Brigadier, de sa grosse voix, questionne et mâche en même temps :

— Où c'est la cachette du couple secret ? Dans la région ?

Il se voit roulant peut-être vers le New Jersey ou même la Virginie où il y a moins de Canadiens français, où un amant se sent à l'abri.

— Son Popol sera pas content, Danielle l'appelle comme ça. Léopold Corbo est directeur des Communications à l'Université de Montréal, c'est pas n'importe qui.

Asselin lui parle tout bas :

— Monsieur Bucher, on sera très discret. On lui enlève sa maîtresse et on remonte.

— En arrivant là, s'il vous plaît, ne dites pas qui vous a donné l'adresse.

— C'est promis.

— C'est à côté d'ici, le long de la rivière, le motel *Riverbank*. Sur la 1-A.

Brigadier est un peu déçu, pas de long voyage, mais il marche déjà vers la Buick, sachant l'empressement de son chef. Bucher, lui, se dépêche d'aller rejoindre sa bande. Il racontera tout et ils retourneront en vitesse au chalet de Drake Island. Ils déguerpiront, iront se cacher plus loin. Mais, Bucher ne le sait pas, en ce moment, des inspecteurs du DEA, de la police américaine, questionnent le jeune-vieillard et attendent le retour des artistes. Ils n'attendront pas longtemps puisque, déjà, le quatuor quitte le vieux manoir en silence, empressé.

Bucher avait été dessinateur d'abord. Tout jeune, c'était sa passion, inventer des personnages pour d'hypothétiques bandes dessinées. Au collège, il songeait à s'inscrire dans une école d'art, de design, mais il rencontra Léopold Corbo, professeur à cette époque à Ville Saint-

Laurent. Léopold Corbo lui avait conseillé mieux que l'étude du dessin, l'initiation au vaste monde des médias d'aujourd'hui. Le prof Corbo jouait « la jeunesse éternelle », c'était « le bon copain » pour ses étudiants. C'est Bucher qui, un soir, présentait son professeur à Danielle Palazzio. Corbo avait quitté le collège pour l'université, il y gagnait davantage et avait moins d'élèves. Ce fut le coup de foudre pour cette jeune fille revenue d'une aventure cinématographique sans lendemain.

Ils devinrent vite amant et maîtresse, le prof et l'ex-duchesse, l'ex-star d'un seul film.

Bucher avait touché à la photo, au design, à la sculpture, au vidéo amateur et au cinéma. Il s'était mis à chanter pour des copains, à piocher sur une guitare électrique. En peu de temps, il avait abandonné ses études pour former un groupe rock aux numéros de music-hall sauce multi-média.

10

La Buick approche du motel *Riverbank* à la publicité discrète, à l'architecture sobre. Asselin sort de l'auto et fonce vers l'office où clignote un petit néon rouge *no vacancy*. Il s'identifie carrément. Pas de *Mister Corbo here* ! Description de Danielle Palazzio. Photo de la duchesse. Le directeur de module s'est inscrit sous le nom de « Brault ».

— Le number ouitte, mossieu.

On s'efforce de parler français par ici.

Brigadier frappe à la porte du 8. On vient ouvrir. C'est Léopold Corbo. Un bel homme à la moustache soignée, quarante ans environ, brun, très grand. Asselin s'identifie.

— Entrez, messieurs. Je suis inquiet. Très inquiet.

Un vieux film d'Alfred Hitchcock défile sur son téléviseur. Il va éteindre l'appareil.

— Vous ne savez vraiment pas où on peut la trouver ?

— Non. Pas du tout. Bucher l'a amenée ici mercredi soir, mais, jeudi matin, je me suis réveillé seul ! Je dors très dur. Je me suis dit qu'elle était peut-être retournée au chalet pour y prendre un reste de bagage. Je l'ai plus revue ! Ni hier, ni aujourd'hui !

Asselin va s'asseoir sur un divan de cuir noir et se frotte les tempes.

— Brigadier, vite, téléphonez à Montréal, au bureau. Les collègues du Maine ont peut-être été plus rapides que nous. Si Montréal et Québec ne savent rien, vous téléphonerez aux collègues de Portland et d'Augusta. Action.

Brigadier s'installe au bar de cuisine, le prof Corbo sort le bottin d'une armoire, l'adjoint sort son carnet d'adresses utiles, il a retiré sa veste de coton bleu.

— Monsieur Corbo, l'avez-vous fait chercher ? Par Bucher ou d'autres ?

Il songe aux filles du chalet.

— Mais oui. Rien. Suis allé discrètement au chalet des deux filles, des amies de Danielle, elles ont loué...

— Je suis au courant, Mariette et Monique.

— Puis-je vous demander la plus grande discrétion dans cette histoire ?

— Ne craignez rien.

— Les filles m'ont dit d'aller chez Bucher, évidemment, mais je savais bien que ma petite Danielle n'y était pas. Jeudi soir, hier, j'ai rôdé un peu partout. Pas de trace d'elle, nulle part. Ce matin, même chose, ce midi aussi, je suis allé voir sur la plage. Mariette et Monique étaient seules.

Brigadier élève la voix du bar de la kitchenette :

— Pas de nouvelles, aucune, ni à Montréal ni à Québec, patron !

— Sonnez aux postes d'ici, maintenant.

— Euh... chef ! C'est-y prudent ? Vous me comprenez... s'ils savent rien encore.

— Ne dites rien de trop. Dites « simple vérification de routine ». Parlez d'une mortalité dans sa famille s'ils vous questionnent.

Brigadier ouvre le bottin téléphonique du motel.

— Monsieur Asselin, comment vous dire ? Euh... je suis dans une situation délicate.

— Je suis au courant, monsieur Corbo. Ne craignez rien.

— C'est que, officiellement, j'assiste à un colloque savant à l'Université du New Hampshire, vous voyez ?

Le prof Corbo avait baissé la voix comme s'il avouait une tare honteuse.

— Rassurez-vous. Ce n'est rien de grave, monsieur Palazzio a besoin de parler avec sa fille.

— Je veux pas vous raconter ma vie... Il y a que... j'ai trois enfants. J'aime toujours ma femme malgré les apparences, euh... je veux dire... Danielle, c'est une sorte de... de quoi ? disons le mot, de « passion ». J'occupe un poste important à Montréal.

— Soyez tranquille, s'il y a un rapport de fait, votre nom n'y apparaîtra probablement pas.

— J'ai réussi à diriger mademoiselle Palazzio vers autre chose que ce cinéma-bidon et j'ai déjà communiqué avec son papa, vous savez. Il était content de ça. Il m'avait remercié.

— Vous connaissez Mario Palazzio, le sous-ministre ?

— Pas vraiment. Disons qu'il m'appuyait dans mes efforts. C'est grâce à moi si, maintenant, Danielle est devenue une scripte. Et une bonne, croyez-moi. Un jour pas très lointain, elle sera réalisatrice, j'en suis convaincu. Elle est bourrée de talent, je vous le dis.

— Nous devons la ramener le plus tôt possible.

— Je lui ai donné des cours privés au début de... notre liaison. Brillante, vous savez. Très douée. Une intelligence vive. J'ai toujours eu pour principe d'éviter tout lien affectif avec mes élèves, mais Danielle, non, j'ai pas pu. On contrôle pas sa vie, vous devez le savoir.

Asselin n'en revient pas de ce bavard, il se dit qu'un professeur peut parler sans arrêt, que c'est une déformation professionnelle, comme lui, il a la manie de la suspicion et, justement, il a envie de lui parler de drogue... il se retient. Il n'a qu'une charge : ramener vite Danielle là-haut.

Brigadier a terminé ses appels.

— Zéro, nul, ils savent rien dans le Maine, j'en suis certain, boss ! Une inconnue notoire !

— Dites-moi, monsieur Corbo, comment l'avez-vous trouvée mercredi soir ? Inquiète, tendue ?

Asselin remarque une nervosité nouvelle chez Corbo. La question semble l'embarrasser, il n'y répond pas. Il va à une armoire de sa cuisinette et sort trois verres. Maintenant l'inspecteur remarque deux malles près de la sortie, derrière la porte.

— Vous quittez Ogunquit bientôt ?

Corbo jette un regard à ses malles.

— Oui. J'irai assister aux dernières séances du colloque. Je ramasserai des paperasses. Madame Corbo est intelligente, j'aurai besoin de ces preuves. Je pars demain tôt.

Brigadier veut se montrer perspicace :

— On vous a posé une question, comment était Danielle à son arrivée, normale ?

— Pour être tout à fait franc, notre liaison a du plomb dans l'aile. On s'était querellé il y a pas longtemps à Montréal. Et la chicane s'est ravivée mercredi soir.

— À quel sujet, cette querelle ? Ça pourrait nous aider à la retrouver, peut-être.

Avec cette question, Brigadier a pris l'œil fier du

limier expert et vérifie sa perspicacité en regardant son patron. Corbo répond toujours en ne regardant que Charles Asselin, il n'aime pas le ton péremptoire du jeune détective.

— La question classique : quand vais-je me séparer de ma femme ? C'est fatal. Une fois de plus, elle a menacé de rompre avec moi pour toujours. Je suis inquiet, vous savez.

Ce grand cadre responsable a soudain les airs d'un enfant timoré que l'on questionne en vain, seulement pour le tourmenter. Il marche de long en large le long des deux lits. Il a sorti de l'une des malles une bouteille de scotch, *Chivas Regal*.

— Ma femme n'est pas du genre à se laisser faire, à se laisser prendre son mari. Ça pourrait être un peu effrayant. Ça nuirait à ma carrière, faut bien que je l'admette. C'est une Galarneau. Vous comprenez ? Je dois mon poste à mon célèbre beau-père, oui, le sociologue et doyen là-bas. Il a le bras long, une grosse influence sur le recteur.

— Où nous conseillez-vous de chercher ? Avez-vous une idée, monsieur Corbo ?

Asselin n'a pas envie d'écouter le récit complet de sa vie.

— Comment savoir ? Danielle aurait pris la Datsun des filles, peut-être ?

— Non, elle est derrière le chalet, je l'ai vue.

Brigadier a dit ça sur le ton cassant du questionneur impitoyable. Corbo a tiqué.

— Je vous fais perdre du temps avec mes histoires. Voulez-vous un scotch avant de repartir ?

— Brigadier, donnez donc un coup de fil chez Danielle à son appartement du Rockhill.

Corbo veut protester, Asselin lui dit :

— Après cette dispute, elle est peut-être remontée par un moyen quelconque.

Brigadier a sorti son petit calepin de fine cuirette et signale en vitesse.

Corbo élève la voix :

— C'est inutile, j'ai appelé hier soir et ce midi ! Pas de Danielle à Montréal, hélas !

Asselin regarde dehors par la porte entrouverte, il dit sans se retourner :

— Savez-vous si Danielle connaissait des gens en dehors de Bucher, de Mariette et Monique ? Il y a tant de Québécois par ici !

— Non. Je crois pas. Je l'aurais su, bien que... on sait jamais, dans ma situation, je m'affiche pas trop.

Léopold restera toujours un enfant mal grandi. Il le sait. Il refuse de vieillir. Il aimait cette vie double. Cela lui faisait une existence moins banale, moins morne que celle de la plupart de ses collègues. Il a été élevé par une vieille tante qui adorait cet orphelin de mère. Son père était journaliste et il ne le voyait jamais, un père plutôt alcoolique et qui passait sa vie dans les bars à la mode quand il n'était pas en reportage pour la télé publique aux quatre coins du monde. Léopold Corbo ne déteste pas vivre deux vies en même temps. Un soir, il est le bon petit bourgeois en réunion amicale chez les amis de sa distinguée épouse, un autre soir, il se cache dans l'appartement d'une jeune fille qu'il dit surdouée. Il craint autant la petite vie en famille que cette vie de cachettes calculées, mais il est incapable de trancher. Il n'a jamais eu à trancher. Sa tante a fait de ce petit garçon « éternel » un être qui veut tout, le bonheur conjugal avec les joies de la paternité et aussi les plaisirs de l'adultère. Oui, un enfant mal grandi.

— Chef, pas de réponse au Rockhill, pas un chat !

Le professeur Corbo sourit tristement :

— Si. Danielle a un chat ! Un chat magnifique. Angora. C'est une voisine qui doit le nourrir. Elle a la clé. Le chat est un de mes cadeaux d'anniversaire.

Asselin aussi sourit en songeant à Rolande qui aimerait tant posséder un joli chat. Plusieurs même peut-être. Elle ne peut contenter cette envie, étant donné son boulot quotidien. Elle dit : « La pauvre bête, elle serait bien seule. » Alors, tous les matins, Rolande dépose de la nourriture pour chats dans un plat sur la terrasse de la cour arrière. Cela lui permet de pouvoir caresser un des chats du voisinage.

— Brigadier, nous partons ! On va vous laisser la paix, monsieur Corbo.

— Je vous en prie, si jamais vous avez bientôt des nouvelles de ma Danielle, faut me téléphoner. Promettez. Tenez, voici ma carte, appelez-moi à Montréal, je vous en supplie. Je suis si tourmenté à son sujet.

Pourtant, le directeur Corbo a biffé soigneusement un des deux numéros de téléphone.

— À mon bureau, à l'université. Pas chez moi, évidemment.

Encore sa mine penaude. L'homme secret, l'homme qui a un gros secret amoureux.

Asselin juge en son for intérieur un tel homme mal pris. Il doit donc toujours être aux aguets ? Brigadier, lui, indifférent au sort des autres, est déjà dehors. Asselin en profite et dit :

— Soyez certain que mon adjoint communiquera avec vous. N'est-ce pas, Brigadier ?

Brigadier grogne. Affirmativement. De façon ambiguë. Asselin sort du *Riverbank* à son tour. Corbo referme doucement la porte. Il regardera la fin du vieux Hitchcock ?

Brigadier boude, il déteste se faire assigner des corvées insignifiantes, qu'il a hâte d'être le chef-enquêteur d'une affaire criminelle de grande envergure, il sait qu'il doit attendre son tour, faire du temps, comme on dit, en prison, n'être encore que « le chauffeur » d'un vieux héros aux missions parfois niaises, il le constate ici.

Le gérant du *Riverbank* sort de son bureau et fait des signes. Asselin va vers lui avec empressement, l'expérience lui a enseigné qu'il ne faut négliger rien, ni personne.

— Je sais pas ce que vous cherchez. Je veux juste vous dire que ça gueulait mercredi soir au numéro 8.

— Vraiment ? Avez-vous pu comprendre de quoi il s'agissait ?

— Non, pas vraiment, j'ai entendu le monsieur Brault, enfin, ce monsieur Corbo, qui répétait à tue-tête des « tu me laisses tomber, Danielle ? », « tu me lâches, Danielle ? », « t'as pas le droit de me laisser tomber » et des « je suis mal pris moi aussi ».

L'homme de l'office n'ajoute plus rien, satisfait de sa délation. Il semble surpris du peu d'intérêt des deux hommes :

— Ça criait plutôt fort un moment donné ! J'ai même pensé appeler la police, hein ? Oui, oui. Je crois bien qu'il la frappait. J'ai entendu des bruits sourds.

— Merci, monsieur, pour votre collaboration. Bonne nuit ! Au revoir peut-être !

Asselin prend congé toujours de cette façon polie.

Le préposé à la location du motel est visiblement déçu, comme tous ceux qui veulent toujours être utiles « aux forces de l'ordre ».

11

Dans la Buick, voilà que Brigadier s'excite :

— Chef, regarde b'en ça : une jeune fille est introuvable, O.K. ? C'est pas des fantasmes, on découvre un amant secret et lui, il l'a perdue de vue depuis deux jours. O.K. ? Bon. Regarde b'en ça. Ça s'éclaircit : Marcel Mastano se fait coffrer, trafic de narcotiques. Bien. C'est un réseau, c'est probable et Danielle en a été, consciemment ou non, O.K. ? Bon, un sbire du réseau Mastano a été graissé pour y fermer la gueule. Qu'en pensez-vous ?

Asselin sourit, il connaît bien l'imagination débridée des débutants. Il connaît cet espoir secret qui taraude l'aspirant « héros-détective » : être embarqué soudainement dans une affaire aux ramifications complexes.

— Doucement, Brigadier ! Prudence ! Personne, en haut, nous a parlé d'un Mastano puissant, contrôlant une mafia quelconque. D'accord ?

— Je disais ça, je le souhaite pas, mais on a déjà vu ça !

— On verra. D'abord on va aller revoir le performer Bucher. On le ramène chez lui et on le fait jaser sur son second métier, celui de « paravent ». Ce musicien au bras « picoté » pourrait être en effet une piste intéressante.

— Patron, un conseil, on devrait se concentrer du

côté des filles. Danielle s'imagine une vie secrète, mais c'est probable que les filles savent toute l'histoire à fond.

— Brigadier, ça donnerait quoi ? Une description de l'amant secret ? On vient de lui parler.

La Buick roule en face du cinéma de la 1-A.

— On va les revoir de toute façon, les filles et Bucher aussi. Regardez, on y est.

Le quartet, au moment où le duo fait son entrée de nouveau, se livre à une jam session endiablée. Le petit public jubile. On tape des mains en cadence. Le batteur se déchaîne et c'est le solo classique, baguettes en l'air. Le saxophoniste s'exalte, le trompettiste se déchire en notes syncopées.

Maintenant, le pianiste, le Noir, marque le tempo et les applaudissements crépitent.

Brigadier cherche Bucher et sa bande et les deux filles du chalet.

— Chef ! Bucher ? Plus là ! Envolé, disparu, patron !

— Ni Mariette ? ni Monique ?

— Personne. Regardez comme faut !

Asselin croit que le performer rouquin a pu se sauver, inquiété par les révélations faites.

— Brigadier, on ne s'assoit même pas. Direction Drake Island, chez Bucher et sa bande.

De nouveau, Brigadier tente de garer sa voiture au chalet de Drake Island, mais toutes les lumières sont allumées, la chaîne a été retirée et deux voitures marquées *STATE POLICE* sont garées au pied du grand escalier, toutes portières ouvertes !

— Demi-tour, Brigadier, rapidement !

— Chef, c'est clair, une p'tite liste a été publiée, hein ?

— C'était à prévoir, le portrait de la fille du

« mandarin-Palazzio » est peut-être accroché à tous les pare-brise maintenant.

— Pensez-vous ? Si on y allait, si on s'associait ?

— Rentrons au motel pour téléphoner, il nous faudra de nouvelles directives. L'ordre de tout abandonner peut-être, mon pauvre Brigadier.

— Vous pensez pas qu'ici, ils pourraient avoir besoin d'une assistance, la bande peut jouer le jeu de l'unilinguisme, non ?

— Brigadier, évitez les initiatives personnelles dans votre métier. C'est encore un bon conseil. Rentrons. Si on nous donne l'ordre de coopérer, on le fera.

— C'est beau, l'obéissance, félicitations !

Brigadier souhaitait travailler avec les Américains, un rêve, un mythe, participer à un grand remous. Il se prend de la gomme rose. Il sifflote, déçu.

Asselin songe au héros du film *Beverly Hills Cop* et puis à ces audaces de débutant en s'installant dans la voiture.

— À mes débuts, j'ai commis pas mal de gaffes, le jeune. Un aîné aurait pu m'avertir. Et puis je suis un « contractuel », Jean, pas un fonctionnaire sécurisé comme vous.

Il l'a appelé par son prénom enfin, l'adjoint en est réchauffé. Il lui offre de son chewing-gum en souriant. Refus de l'inspecteur, on lui a déjà dit qu'à un certain âge, ça sert surtout à déchausser les dents, ce « caoutchouc ».

12

Le *Norseman*. La nuit. La lune. Le bruit de la vague. Un pêcheur, seul, sur le petit pont. La marée qui monte. De petits nuages tout ronds viennent voiler à intervalles réguliers la petite planète d'albâtre. Au *Neptune*, voisin de leur motel, de jeunes couples s'amènent avec des cris de délivrance heureuse, des valises se font sortir des coffres de deux autos. On s'interpelle joyeusement. C'est le dernier grand congé de l'été.

— Ils vont trouver l'eau plutôt fraîche, Charles !

Le détective pigiste sourit. Lui, plus jeune, n'avait jamais osé interpeller ses aînés par leur prénom. Ça ne se faisait pas. Les temps changent, se dit-il. À la porte du 26, Charles prend l'avant-bras de l'adjoint et lui dit :

— Je téléphone. S'il y a du nouveau, je vous le communique, mais ça m'étonnerait. Allons dormir. Demain matin, au chalet des filles. Questions sur cette visite soudaine de Danielle qu'a révélée le professeur Corbo. Elles nous ont caché ça. À demain !

— Attention. Il y a eu cette dispute terrible, Danielle a pu lui mentir et décider d'aller Dieu sait où, le cœur en marmelade. Ce « mari » qui refuse de divorcer. Vous pigez la situation, patron ?

— À demain. Je vais me concentrer et réfléchir.

Brigadier durcit sa voix :

— Tout ce que je dis, moi, on dirait que c'est des conneries, c'est chiant, vous savez !

— Mais non, si jamais la jeune Palazzio est mêlée au trafic, où voulez-vous qu'elle aille ? Son signalement ira du Mexique jusqu'au Grand Nord, vous le savez bien. À demain !

Brigadier sourit, il souhaite toujours secrètement que ce soit la bonne thèse, il aura été mis sur une grosse affaire comme par accident. Tout de suite, il se dit qu'il pourrait mener seul l'investigation et déclare à Charles :

— Je m'endors pas du tout. Je retourne au concert de jazz, pas d'objection ?

— Petit déjeuner demain matin, huit heures, au *Captain's*, c'est à côté du *Neptune*, leur ardoise était appétissante. À demain !

Marchant vers le *Dunelawn*, Brigadier frissonne un peu dans son beau complet de coton bleu, il presse le pas, relève son col, il sifflote *La mer* de Trenet.

Au 46, Asselin se met à poil et va encore sous la douche, ça l'aide souvent. Ensuite il fera des téléphones, d'abord chez lui, besoin constant d'entendre la voix de sa douce Rolande, ensuite il prendra contact avec « le bureau », racontera la descente chez Bucher et alliés.

Tantôt, Jean a regardé la mer sous cette lune intermittente, masse d'encre noire aux rugissements si réguliers. Il s'était revu encore garçonnet et chien-fou quand il arrivait à Old Orchard. Il ne retrouve plus vraiment cet enthousiasme, se dit qu'il vieillit, se sent très seul subitement. Il en éprouve une peur diffuse : vieillir seul, devenir cet enquêteur à routines guettant l'âge de la retraite. Ressembler peu à peu à ce père froussard, archiprudent.

Approchant du manoir à colonnade, il se secoue, il se jure qu'il résistera. Il se promet de rester un homme qui aime le plaisir, les sensations fortes. Il aura de l'audace. Il va questionner à fond tantôt Mariette et Monique. Il découvrira des faits importants et, demain matin, il prouvera à ce trop placide Asselin qu'il a l'étoffe d'un fin limier. Il presse davantage le pas, il peut entendre un peu le petit quartet déjà. Non, se dit-il, il n'est pas le fils du bonhomme angoissé et timoré, Romuald Brigadier, il est le fils de sa mère, imaginatif et plein de confiance. Comme elle.

L'orchestre s'est tu. Pelouses garnies de tertres fleuris, réverbères toujours coquets. Brigadier se dirige, du pas solide de celui qui va tout résoudre, vers la grande salle du petit château incongru dans ce modeste Ogunquit.

— Salut ! Fini le jazz ?

Mariette sursaute :

— Où étiez-vous ? Monique, c'est Tit-Jean-la-gomme !

Monique tourne le dos. Mariette sourit et avale un peu de bière.

— On est venu plus tôt, vous n'y étiez pas.

— Monique avait pas vu le film *Amadeus*. Moi, je voulais le revoir, ça a fini à onze heures.

— Mesdemoiselles, notre recherche piétine. Votre amie Danielle reste introuvable !

— Quoi ? Elle était pas chez Bucher ?

— Pas du tout, niet.

Brigadier se demande s'il est utile d'en dire plus long.

Monique se tourne enfin vers lui :

— Dédé Bucher vous a pas dit où elle était ?

— Votre performer a ses problèmes et il se fiche pas mal de sa grande amie. Saviez-vous ça ?

Bavard de nature, Brigadier n'en peut plus de s'autocensurer, et sur l'amant marié et sur la *State Police* à Drake Island. Il ouvre un peu son jeu :

— Vous m'avez caché pas mal de choses, les filles ?

Mariette ouvre la bouche pour parler, mais le pianiste revient sur la petite scène et entame un pot-pourri d'airs à la mode. Furioso ! Applaudissements.

— Jean, on a dit ce qu'on sait, pas vrai, Monique ? Dédé est venu la chercher et Danielle a décampé subito presto. That's all !

— Mensonge, mesdemoiselles ! Dédé, c'est un écran ! Danielle a un amant secret et vous le saviez, je suppose ?

Mariette et Monique se regardent immédiatement. Elles boivent un peu de bière, muettes un long moment.

— Oui, on était au courant, mais c'est sa vie privée, cette histoire.

Monique ajoute à voix très basse :

— Pis toujours ? Vous avez appris quoi ?

Brigadier aimerait savoir si Asselin l'autoriserait à en dire plus long.

— On a rencontré l'homme marié ! Au *Riverbank* de Moody beach. Il était seul !

— Comment ça ?

— Il y a eu une grosse chicane. Et ça aussi, vous nous l'avez caché, Danielle est retournée au chalet jeudi !

— Ah non ! Monique ? Monique ? On a pas revu Danielle, est-ce que je mens, Monique ?

Monique hausse le ton soudainement :

— J'en ai par-dessus la tête de Danielle. La duchesse, je m'en fous complètement, comme elle se foutait complètement de nos vies à nous !

Le jeune détective est étonné de cette interjection.

— Est-ce que vous savez si Danielle a pu aller se consoler chez quelqu'un d'autre ? Il y aurait pas d'autres scriptes dans la place ? D'autres camarades de télé ?

Monique lui tourne le dos et semble captivée par le pianiste. Mariette lui dit :

— J'pense pas. Ça se pourrait pas, ça, que son homme secret vous ait menti ? Qu'il la cache, qu'il la protège peut-être ?

— Ah non ! Il était très inquiet. Et c'est le genre de gars à pas vouloir avoir d'histoire avec la police, c'est très évident.

Mariette vide sa bouteille de bière dans son verre en flûte et ricane :

— Vous pensez à une affaire de drogues, pis peut-être que c'est l'affaire classique du « triangle » infernal. Le bonhomme a tué sa maîtresse !

Elle rit.

Brigadier reçoit une assiette de hors-d'œuvre divers. Asselin n'avait pas faim, lui non plus, mais maintenant la faim rongeait l'adjoint. Il verse de la bière dans son verre. Il se dit qu'il vieillit certainement puisque le voilà au travail en dehors des « heures régulières ». Il se sourit à lui-même. Puis réagit :

— On va danser, la blonde, O.K. ?

Monique place son long châle tricoté sur ses épaules, se lève :

— Mariette, je rentre, je prends l'auto, la grande police te raccompagnera, j'suppose.

— Bye, Monique ! Je rentrerai pas tard, la météo annonce « beau et plus chaud » pour demain, ça va être la plage et de bonne heure !

C'est un vieux slow des années 60, Mariette s'accroche au cou de Brigadier avec une lascivité qui stimule aussitôt Brigadier. Il sent déjà l'accord mystérieux de deux corps qui vont bien ensemble. Il est tout heureux de la savoir enfin libre, débarrassée à jamais de son gros chien braillard, le sculpteur Charron. Il lui donne de doux baisers au front, sur les joues, dans le cou, sur les épaules. Mariette sourit, semble jouir énormément de cette affection intempestive, puis se redresse :

— Je m'inquiète de plus en plus pour ma chum de fille.

— Bah, on va la retrouver tôt ou tard. A peut pas être loin, notre duchesse.

— Je te parle de Monique Gallant, nono ! Je la reconnais plus, sais-tu. Elle devient de plus en plus morose, comme au bord d'une déprime !

— Elle est très attachée à Danielle, c'est ça ?

— Non ! C'est le contraire même !

— Comment ça ?

— Je vais te faire une histoire courte. Tu as connu la duchesse ? Faut qu'elle vérifie toujours et partout ses charmes irrésistibles.

— Une agaceuse, c'est ça ? Allume le feu pis on se sauve, c'est ça ?

— Écoute bien ça. L'été dernier, Danielle et moi on voulait une mer plus chaude, on est allé à Margate, New Jersey. Elle, Monique, avait loué ici le même chalet. Et elle s'était trouvé un chum qui est chef-cuisinier à la *Casa Angela* qui appartient à sa mère. L'amour fou ! Antonio, le cuisinier, est venu à Montréal plusieurs fois, cet hiver et le printemps dernier pour voir Monique. Il parlait même d'ouvrir un restaurant à Montréal.

— Je vois pas où tu veux en venir ! On parlait de Monique et Danielle.

— Attends, tu vas voir. Aussitôt que notre duchesse

s'est montrée au chalet, bang ! le grand coup de foudre pour Danielle Palazzio, et vice versa ! Antonio plaque Monique pour coller à la duchesse.

— Oh ! Oh !

— Oui, mon Tit-Jean, Antonio Basani a subi l'effet-duchesse et « adieu la noironne Monique » !

Pause du pianiste et retour à la table. Brigadier mange goulûment son pastrami. Il tient un fait nouveau, il a hâte de fouiller ce nouvel aspect de l'affaire, il a hâte de révéler ça à son boss demain matin.

— Fallait nous en parler de cette Monique cocufiée. Tu ne te rends pas compte ? Danielle Palazzio se cache sans doute chez son bel Italien, tu penses pas ?

— Grand nono, on y est allé, et plusieurs fois, à la *Casa Angela*, pas de Danielle !

— Mais l'amant secret, l'homme marié ?

— Mystère et boule de gomme ! « Loin des yeux, loin du cœur », tu sais ça. Quand tu as parlé d'une querelle au *Riverbank*, on a compris, Monique et moi. La duchesse lui a annoncé une rupture finale. Possible, ça, non ?

— Il fallait nous parler de cet Antonio.

— Quand je prononce son nom devant Monique, c'est la crise de nerfs. Tu comprends ?

— C'est où, ça, la Casa Machin ?

— *Casa Angela*, c'est le prénom de la mère. C'est juste en sortant d'Ogunquit, vers Wells. La mère de Tonio vient du Québec, son nom c'est Angèle, ça a donné Angela. Était mariée avec un Italien qui a quitté le foyer conjugal depuis une dizaine d'années. Madame Basani a raconté sa vie à Monique l'été dernier. Le mari s'en revient. Le restaurant marche très fort, beaux salauds, les hommes !

— Je te répète qu'il fallait nous parler du cuisinier Antonio.

— L'arrivée de Dédé Bucher, ça changeait tout. On avait compris : le beau Léopold Corbo était dans la place ! On guettait la suite. Monique surtout !

Le pianiste revient et c'est Mariette qui entraîne aussitôt Jean sur la piste de danse, qui l'embrasse dans le cou et rit. Brigadier, distrait, fait marcher sa machine à déductions, qui est toujours portée à s'emballer.

Il se fait un grand cinéma. Il voit une Monique démontée, avec un grand revolver dans la main et qui fait feu sur la duchesse. Ses images tournent. Maintenant, il imagine cet Antonio Basani fuyant, loin d'une Monique menaçante, avec une Danielle qu'il a arrachée à cet amant secret. Il imagine encore : un Léopold Corbo qui tue une Danielle inconstante qui l'a trompé avec ce cuisinier de la Casa Machin. Mariette sent bien qu'il est ailleurs et redouble d'ardeur, se presse contre lui davantage.

— Mariette, ou on cache la duchesse ou bien on l'a tuée.

— Bon ! Le coup fumant ? Pauvre Tit-Jean, c'est b'en plus simple que tu penses, je gagerais. Tiraillée entre deux amours, Danielle est allée réfléchir seule. J'sais pas où. Elle aimait beaucoup Dennisport au Cape Cod.

Brigadier se calme, redécouvre le plaisir de danser avec cette jolie blonde. Le travail, c'est pour demain au petit déjeuner. Il embrasse longuement Mariette tout près, tout près des lèvres et guette sa réaction. Elle a fermé les yeux bien durs.

Il se souvient du temps de *La Promenade* chez Mastano, rue Ontario, de ce soir où il aperçut des marques bleues sur les bras de cette Mariette. Il en avait été indigné, imaginant un Charron devenu fou furieux, qui la battait. Il se dit qu'elle doit lire dans les pensées quand la blonde lui dit :

— Tu détestais mon sculpteur, pas vrai, dans le temps ?

— Oh oui ! Il te suivait partout, un p'tit chien, et toi, tu le laissais faire, j'ai même déjà pensé qu'il te battait.

— Il oubliait que j'étais femme, il me forçait à lever des poids lourds pour ses sculptures soudées, je devais même jouer de la torche à souder, et mieux que lui si possible. J'étais folle. Il vivait à mes crochets et j'acceptais ça. C'est fou, personne ne l'aimait et moi, je me disais : « Je réussirai à l'amadouer, à le civiliser. » Tu sais comme il était sauvage !

L'ancienne Mariette avait peur de sa propre beauté, elle craignait toujours qu'on la séduise pour ensuite la laisser tomber. Elle avait donc choisi un gars dont aucune fille ne voulait. Un masochisme stupide. Elle savait que son grand-père Raoul, le grand reporter, trompait sa femme, allant d'une fille à l'autre, et cela aussi l'avait rendue méfiante. Cette crainte d'être bafouée faisait qu'elle se détournait aussitôt face au moindre complimenteur rencontré. Les hommes autour d'elle ? Tous des menteurs, des séducteurs, comme ce grand-père cavaleur. Il lui restait le grand génie mécompris. Ce gros Charron si imbu de ses talents ignorés qu'il n'avait jamais envie de regarder seulement une autre fille.

— Comment ça s'est terminé, toi et Charron ?

— Vas-tu le croire, un jour, à l'atelier de la rue Saint-Laurent, il est venu une folle, pire que moi, elle voulait être son élève, une souillonne invraisemblable. Et qui était encore plus « à quatre pattes » que moi devant le « maître » inconnu.

— Il t'a trompée, lui, Charron ?

— Même pas. Il aurait voulu deux esclaves. Que je reste et qu'elle reste aussi, cette bohémienne qui faisait de la gravure, qui puait l'ail, qui avait les doigts toujours noirs d'encre. J'ai vidé la place. Elle m'a réveillée net ! Je me suis vue à travers elle comme dans un miroir : vraiment, une domestique ! J'ai pas aimé mon image et j'ai ramassé mes affaires. Il s'est saoulé pendant dix jours. Après... b'en, il lui restait sa gitane aux mains sales. Je l'ai plus revu. J'étais en train de vieillir plus vite que les autres avec mon tyran.

Retour à la danse. Puis retour à la table de nouveau. Les embrassades ne cessent plus. Brigadier a tout oublié de cette mission, il n'est plus un flic, il est un homme libre. Et il invite Mariette au *Norseman*.

13

Sur la coursive, marchant vers le 26, Brigadier lui recommande à voix basse de cesser de rire, d'éviter tout bruit, devinant un Asselin qui guette peut-être son retour pour lui apprendre « les ordres d'en haut ». Mais non, rien ! Le couple entre au 26 et Brigadier ouvre le bar-frigo. Mariette va regarder la mer sous les nuages qui défilent en rangs serrés. Elle a pris sur un des lits le gros gilet beige de Brigadier pour aller sur la terrasse. Brigadier prépare deux cognacs. Il va tenter de faire deux floaters et cherche deux bouteilles d'eau minérale. Le voilà tout excité en voyant la blonde silhouette sous la lune, accoudée à la rampe du balcon, il constate que ses mains tremblent légèrement et se dit : « doucement, le wolf ».

Plus tôt, Charles avait sorti le grand couvre-lit matelassé pour recouvrir une chaise longue de sa terrasse, une envie de se laisser bercer par le bruit cadencé de la vague. Au téléphone avec Rolande, il avait fait des blagues, malgré le piétinement pour simplement retrouver la fille d'un sous-ministre. Au bureau, un adjoint lui avait dit que le directeur Dubreuil et son assistant ne voulaient être dérangés sous aucun prétexte. Ils assistaient à une inauguration quelconque en dehors de la métropole.

Il essayait de se détendre complètement. Il s'était juré qu'avant midi, demain, Danielle serait retrouvée, à moins qu'elle soit remontée au pays. Il se sent bien rapidement, cette eau à proximité le met toujours dans cet état et il a peine à se concentrer sur sa mission. D'où vient cet effet bénéfique, se demande-t-il ? Il a déjà lu des textes sur ce sujet, on parlait d'une mémoire enfouie dans les gènes, de l'être humain d'abord amibe échouée. Aussi des eaux de la matrice maternelle, mémoire indélébile du foetus flotteur.

Il songe à ses vieux parents. Jamais ils n'avaient vu la mer. Lui-même y vint une première fois quand il eut trente ans, c'était plutôt l'immensité du golfe Saint-Laurent, au nord de Rimouski, Sainte-Luce-sur-Mer. Premier choc d'importance qui le ferait revenir vers la mer comme le musulman va à la Mecque. La mer, continent fluide et ciel à l'horizon infini, oui, il y reviendra presque à chaque été. Un rituel quasi sacré. Un rituel « gaspésien » la plupart du temps.

Le froid lui commande de rentrer, il se lève et il entend un certain rire gargantuesque : Brigadier ? Un rire de femme maintenant ! Même direction. Brigadier n'est pas seul ? Quelle sorte de vie mènerait-il, s'interroge-t-il, s'il était resté célibataire ? Il l'ignore, il ne connaît que trois célibataires intimement, des cas un peu spéciaux, un défroqué culpabilisé, un veuf plutôt inconsolable et un « vieux garçon » assez maniaque, hypocondriaque et insomniaque qui serait homosexuel s'il se décidait à assumer sa vraie nature. L'idée d'aller surprendre son « chauffeur » l'effleure un instant. Niaise idée qu'il chasse aussitôt. Brigadier n'est pas « en devoir » la nuit. Il va s'allonger sur son lit et sombre aussitôt dans un profond sommeil, il rêve d'un voilier immense, d'une Rolande à la roue du pilote et de lui qui tente de tirer de l'eau une baleine immense, blanche comme de la craie. Il rêve. Rolande crie de venir au gouvernail et c'est elle qui pêche une Danielle Palazzio aux cheveux trempés, vomissant une eau verte, c'est écrit *RIVERBANK* sur les flancs du voilier et une tête de proue personnifie le professeur Corbo. Il rêve.

Au 26, c'est la corrida la plus sensuelle, Mariette a bu deux cognacs et fait des pitreries en vidant la garde-robe bien garnie de Brigadier. On rit.

— Une vraie carte de modes, Tit-Jean-la-gomme ! On se prive de rien, ouaille !

Elle lit à haute voix les marques des étiquettes et fait des mines, s'habille avec des pièces de sa lingerie de luxe.

Brigadier a pris une douche éclair, il ruisselle d'eau, il joue le Tarzan nu, se bat la poitrine, fait l'homme-singe en sautant partout. On rit.

— Touche-moi pas, t'es tout mouillé !

— J'aime l'eau. Viens sur le lit, infernale poupée blonde !

Mariette va chercher des serviettes et pendant qu'elle tente de l'essuyer, il la déshabille en toute hâte.

— T'es bien pressé ?

— Il y a si longtemps que je te voulais. Tu le sentais pas, ça ?

Il aime la femme ronde, il aime ses seins lourds, ses hanches solides, ses cuisses et ses mollets bien fermes. Il la caresse et Mariette fait entendre aussitôt des roucoulades voluptueuses. On rit encore. Mariette jette les serviettes sur un long bahut néo-quelque chose, éteint les lampes, va ouvrir la porte-patio.

— J'aime sentir la brise océane quand je fais l'amour. Pas toi ?

Jean ne rit plus du tout, il s'allonge sur le lit, ouvre les bras, ouvre les jambes :

— Viens vite, Mariette, viens !

14

Maintenant, la jeune scripte est sous la douche et chantonne. Elle a parlé « d'hygiène essentielle » après l'amour, mais Brigadier est piqué, il a senti ce déclic, il éprouve du sentiment pour elle et cela lui fait un peu peur. Il l'a jugée parfaite, il a aimé sa façon énergique, grimpante, entreprenante et aussi, soudain, sa docilité totale. Il se dit qu'il prendra bonne note de ses coordonnées, qu'il la retrouvera une fois revenue à Montréal, qu'elle lui ferait une fameuse compagne... pour des mois, pour des années ? On verra bien, se dit-il, et s'installe en lui une certaine peur. Sera perturbée sa petite vie de dragueur perpétuel... Tant pis, se dit-il !

Les « j'aime ça », les « mon Dieu que c'est bon » de tout à l'heure lui ont apporté de l'assurance, il se veut tellement un partenaire compétent en la matière. Un soir récent, dans son petit condo du Vieux-Montréal, une jeune notaire blonde lui a murmuré des « je t'aime » et des « mon grand amour ». Partie, il a déchiré la carte de la jolie notaire. La peur des attaches, de l'amour sérieux. À dix-neuf ans, Jean était tombé amoureux fou d'une étudiante en design industriel, Martine. Elle l'avait trompé avec un décorateur d'origine russe. Quelle douleur ! Il avait pleuré, gémi, il en avait bavé durant des mois, puis il s'était juré qu'on ne l'y reprendrait plus jamais. Une fois la grande plaie d'amour enfin cicatrisée, il s'efforça de muer en un mâle imprenable, à l'abri des sentiments. Il s'efforçait... Tantôt, il a senti crouler toute la muraille, fondre sa carapace. Mariette allait-elle être « sa troisième chute » d'un certain chemin de croix ? Sa troisième blonde ?

— Tu remontes quand, Mariette ?

— Mardi matin. Ça va recommencer : répétitions, studio, montage, mixage, le chrono pendu au cou, ma breloque gagne-pain !

— Il est connu, ton boss ?

— Jean-Yves Carrier ! On l'appelle Jean-Yves Pourri. Carrier, tu piges ? C'est un illuminé, un fou. Il voudrait faire une télé originale, mais on fait dans le quotidien plate. C'est l'émission *Bien dans votre peau ?*

— Ouasch ! Petite semaine, petit budget, non ?

— Eh oui ! Carrier téléphone à l'épouse avant, durant les publicités et après chaque émission. La « vache », elle lui démolit son show et lui, il raccroche en disant chaque fois : « Armande a raison. C'est de la merde. De la grosse marde ! »

— Mariette, je voudrais qu'on se revoie.

Un certain silence.

— Pourquoi pas ? T'es un grand con prétentieux, mais t'es drôle. Tu me fais rire.

Elle rit, lui pas. Il souhaitait qu'elle aussi soit... touchée. Il n'a plus envie, en restant lucide, de se venger de Martine-la-designer. Il est touché. Il ne veut plus tout contrôler, il est déjà attaché. Il le sait. Il est presque d'accord. Ça fait si longtemps qu'il n'a pas aimé pour de bon. Il sort d'autres petites fioles scellées du frigo aux liqueurs. Il a encore envie d'elle, il la caresse de nouveau, aux seins.

— Ep ! Tranquille un peu.

Elle a vu la nouvelle érection.

— Tu sais pas que ça s'use, une verge ? Faut pas abuser, Tit-Jean, et je veux être tôt sur la plage demain. Ça achève les vacances.

Elle avale de son cognac, remet son linge, rit du dépit boudeur du compagnon.

— Tu viens me reconduire ou j'appelle un taxi ?

Brigadier remet aussitôt son linge. Malgré lui, il songe au boulot de nouveau :

— Dis-moi une chose, ce prof, tu le connais ?

— Mais oui. J'ai suivi son cours à l'université. Bucher aussi. C'est lui qui a présenté la duchesse.

Brigadier constate qu'elle ne ment pas, ne lui cache plus rien.

— Côté drogue, le prof ?

— Popol, on l'appelait Popol, c'était le genre à faire des petits caucus chez lui. On fumait un peu de pot. Lui, du hasch bien souvent.

— Il en vendait ?

— B'en, des fois, les élèves lui en demandaient. Oui, il en vendait. Dans le temps, il n'était que prof, pas directeur encore.

Ils sortent. Ils marchent vers la Buick.

— Mariette, mon Asselin est pas assez vite sur ses patins. Regarde b'en ça : la police met le grappin sur Mastano, aussitôt Bucher surgit dans vos parages, tu me suis bien ? Le bonhomme Corbo aussi. O.K. ? Ça sent le trafic. La duchesse en est ! On est venu l'avertir que la police cuisine Mastano. C'est la débandade du réseau. Ça se tient, non ?

Mariette hausse les épaules.

— Si c'est ça, je pourrai dire que Danielle est une

belle hypocrite, je peux juste te dire ça. Ramène-moi vite au chalet, je dors debout.

— Tu m'aides pas le diable. Serais-tu impliquée, toi aussi ?

Il sourit.

Mariette se met à le battre de coups de poing en riant.

— J'ai horreur des gars qui baisent une fille pour ensuite lui tirer les vers du nez !

— Mais non. Ça m'est venu comme ça, sous la douche tantôt.

15

Ogunquit dort ferme. Pas un seul touriste sur le Shore Road à cette heure avancée de la nuit. Mariette s'est collée sur lui. Jean lui caresse la nuque, mais en est rendu à imaginer un Popol Corbo au-dessus de Mastano. Il juge qu'ils ont été trop polis et trop mous au motel de l'universitaire amant de la duchesse. Mariette soupire d'aise.

— J'ai hâte qu'on se revoie là-haut !

— Moi aussi, Tit-Jean. Vrai.

Elle ne peut réprimer un énorme bâillement. Elle rit.

— Mariette, notre duchesse, tu la connais à fond ?

— C'est sûr, ça. Quand son Popol est pas libre, on sort ensemble. Si je la connais ? Tiens, on a fumé un joint au lancement du disque de Dédé, mais ça fait trois mois de ça. O.K. ?

Brigadier efface farouchement le tableau qu'il se forgeait, celui de la fille d'un haut fonctionnaire à la Justice, c'est utile, l'insoupçonnable Danielle Palazzio, qui aurait été un rouage important dans le trafic Mastano. Il se dit soudain qu'il est bien fou de se casser la tête, qu'il n'est que le « chauffeur » de l'as des as, Asselin.

Sa main est plongée dans la poitrine rebondie de la blonde et il tente maladroitement de tourner derrière le *Lemon Tree*, vers le chalet. Petit lampadaire maigrichon. Un gros chat-tigre lèche le plat de tôle, se sauve en voyant les phares de la Buick.

— Il a faim, pauvre p'tit matou !

Mariette court vers la véranda chercher de la nourriture pour la bête anonyme. Brigadier se souvient d'une couturière — très blonde elle aussi — qui possédait quatre chats. C'est cette Marie-Laure qui lui a appris à aimer davantage les chats, en peu de temps, puisque l'aventure n'a duré que deux mois et demi. Il va vers Mariette, boîte de nourriture en main, et la presse tendrement contre lui, l'embrasse avec fougue. Le feu reprend. Elle lui prend la tête au fond des mains :

— Sais-tu, je l'avais pas remarqué, mais tu as les plus beaux yeux d'homme que j'ai jamais vus. Juré.

Brigadier la soulève, l'étend sur le canapé d'osier blanc, lui parle à voix basse :

— On remet ça, blonde des blondes ? Oui ?

— T'es pas frileux, toi, hein ?

— On va dans la véranda, si tu veux ?

— Non. Monique a le sommeil ultra-léger depuis sa peine d'amour.

Jean la caresse partout, lui relève sa jupe de cuir rouge, l'embrasse sur le ventre.

— On est mal ici, attends, on va aller sous les pins à côté, je vais chercher une couverture.

Jean va sous la petite pinède, l'herbe y est haute. Mariette sort du chalet et il n'y a pas de « clac » cette fois. Elle vient se jeter sur lui, il réprime un cri de plaisir quand elle s'empare de sa verge et l'avale. Ils se cognent. Ils font vite, comme si la fin du monde était imminente. Elle s'est redressée, grimpe sur lui, mais il la fait basculer bientôt et l'embrasse partout. Après, il lui prend fermement les hanches et il entre en elle, sérieux, grave. Une fougue inouïe les anime.

Une heure plus tard :

— C'est toujours trop court.

Il est tombé sur le dos. Elle l'embrasse avec tendresse. Elle aussi se promettait depuis Charron-le-fou qu'on ne l'y reprendrait plus, elle aussi se sent touchée, se sent déjà attachée à ce grand gaillard si vivant, si plein d'appétit pour la vie. Brigadier se surprend à tisser encore des associations hypothétiques, maudit métier, il imagine cet Antonio Basani impliqué dans le trafic Mastano-Corbo. Il va plus loin. La mère Angela Basani pourrait aussi en être ? Tous, ils formeraient une machine efficace ? Il se voit nouant et dénouant, tout seul, les fils de cette affaire. Et tant pis pour la fille du sous-ministre. Demain matin, en face du célèbre inspecteur, il se taira, il gardera ce qu'il a appris pour lui. Il abandonnera Charles Asselin à sa manière lente. Il fouinera partout, il ira questionner tout le personnel de la *Casa Angela*, il trouvera seul les réponses. Il sera le héros perspicace, seul découvreur de l'énigme. Tantôt Mariette était un joli dauphin femelle et lui était un requin bien malin, ce jardin était un fond de mer meublé de coraux écarlates, et, maintenant, il est le détective le plus futé du monde.

Elle lui dit : « Adieu, à demain peut-être ? »

Dans la Buick, il siffle un air de Charlebois, *Je t'aime comme un fou*, et il roule tout doucement vers son motel.

Monique a remué dans son lit tantôt. Mariette s'étend, tout habillée, et se dit qu'elle n'était donc pas complètement à l'abri des méchants mâles qui la font jouir. Elle qui s'était si souvent jurée de rester libre, indépendante. Elle qui craignait tant de reformer un couple à l'image de ses parents, prisonniers heureux, mais prisonniers vraiment l'un de l'autre. Elle s'endort.

16

La météo se trompait encore. Ce samedi matin, oui, beau soleil, mais un vent du nord-ouest très frais.

— Vous avez pas l'air trop en forme, Brigadier, ce matin ?

— Non, pas trop, j'ai mal dormi. Je réfléchis trop. Beaucoup trop.

Asselin rit dans sa barbe et boit son jus d'orange. Le patio-terrasse du *Captain's* est magnifique, partout du treillis de lattes blanches, des têtes-de-coq rougeoient un peu partout, dans des tonneaux, des baquets, des vasques, dans des corbeilles suspendues au toit en auvent bleu ciel.

Asselin reçoit son œuf frit, son bacon, ses patates rôties, avec tomate, laitue et rôties. Un gros pot en verre taillé plein de confiture maison brille sur sa table. Derrière de basses persiennes, on peut voir défiler les rares baigneurs du matin. Le soleil luit tant qu'il peut, combat le vent frais. C'est encore le spectacle joyeux d'un bord de mer. Asselin a envie d'aller vite réserver une quinzaine quelque part pour l'été prochain. Il demandera l'avis de Rolande tout à l'heure en lui téléphonant.

Deux vieillards et trois gamins pêchent sur le petit pont. La rivière Ogunquit se remplit tranquillement par la marée ascendante. Quelqu'un qu'ils ne voient pas chante un air d'opéra italien. Il y a de la fête dans l'air toujours en un tel lieu. Asselin songe à un Ogunquit tranquillisé, vidé de ses touristes dès mardi matin.

— Comme ça, mon « chauffeur » a beaucoup réfléchi cette nuit ?

Brigadier déteste le ton moqueur et se répète qu'il ne doit rien dire de ce qu'il a appris de Mariette.

— Mais je trouve pas, je trouve rien. Je reste juste votre « chauffeur », patron.

— Moi aussi, mon jeune, j'ai fait marcher mes cellules nerveuses hier soir, pendant que vous étiez en galante compagnie.

Brigadier sent qu'il rougit. Il se déteste. Mange son œuf brouillé.

— Il y a que c'était la politesse d'inviter Mariette à prendre un verre après le jazz. Ça faisait longtemps qu'on s'était pas revus, vous le savez, ça ?

Brigadier parle la bouche pleine, le nez dans son assiette.

— Vous allez me dire si je déraille, d'accord ?

— Comptez sur moi, patron.

— Voici : je me dis qu'il faudrait téléphoner pour vérifier si ce professeur Corbo, par hasard, n'aurait pas un dossier qui traîne chez nous ! On peut bien avoir épousé la fille d'un imposant sociologue, se faire nommer directeur d'un service et avoir la malchance d'être fiché aux archives policières. Qu'en pensez-vous ?

Brigadier enrage de voir une partie de ses hypothèses déjà entamée.

— Vous songez à quel genre de dossier, chef ?

— Drogues, évidemment. Je continue : son colloque savant ? De la frime ? Un mensonge peut-être ? Ou ce Corbo plane au-dessus de Mastano ou bien quelqu'un d'autre est au-dessus de Mastano ou du prof. Ce dernier est prié d'aller rapidement vers Danielle Palazzio. Par amour pour son grand homme, elle a peut-être travaillé pour le réseau. Qu'en dites-vous, Jean ?

Brigadier enrage davantage. Il joue l'avocat du diable :

— Ça serait étonnant. Vraiment étonnant. Je l'ai connue.

— Ça fait des années de ça, Brigadier ! On a déjà vu ça, la fille d'un homme respectable compromise dans de sales histoires. Vous croyez pas ?

Brigadier râle intérieurement. Un autre que lui était aussi capable d'imaginer des liens entre Mastano, Corbo et la duchesse. Il décide d'être plus franc :

— Fausse route, chef. Hier, Mariette m'a dit : un joint tous les six mois ! Et encore !

— Brigadier, il y a l'argent. On en vend et on en consomme pas. On se comprend ?

— Permettez-moi d'en douter.

— Oubliez pas : un téléphone pour vérifier Corbo. Et j'oubliais, un appel pour ce yachtman, Ben Kahn.

— À vos ordres, chef !

Il s'en veut de ne pas avoir songé à ce yachtman qui descend dans le sud.

Asselin achève son assiette. Brigadier n'a plus envie de faire cavalier seul :

— J'ai ramassé du matériel neuf hier soir, des faits nouveaux.

— Je vous écoute.

L'adjoint raconte l'idylle entre Monique et un certain Antonio Basani. Idylle rompue brutalement dès l'arrivée au chalet de la duchesse. Asselin vide son café d'un trait :

— Venez vite, nous allons déjeuner une deuxième fois. À cette *Casa Angela*.

Asselin est debout, prêt à partir déjà.

— Mais, patron, ce checking sur Corbo ? J'y vais, oui ou non ?

— Très bien. Moi, je me rends seul à ce restaurant et vous venez me rejoindre avec l'auto.

L'adjoint lui explique où se trouve la *Casa Angela* et reste bien assis.

Brigadier se fait remplir sa tasse à café en regardant son boss marcher vers le village et cette *Casa*. Soudain, il le voit qui revient vers lui :

— Demandez aussi que l'on vérifie pour cet Antonio Basani. Vous m'avez raconté qu'il montait souvent à Montréal, on ne sait jamais. Oh ! informez-vous aussi sur le « coulage » de Mastano, des fois que des noms connus de nous apparaîtraient subitement. À tantôt !

17

Asselin marche sur le Beach Road. Couleurs vives partout, cela le réjouit, les couleurs des maillots, des chaudières des enfants, des chapeaux, des ballons, des cerfs-volants. Sur le petit pont, il voit des poissons dans les seaux. Il ne saurait en dire le nom, cela l'humilie depuis toujours de ne pas savoir nommer la nature, les essences des arbres, le nom des oiseaux, des poissons. Il remet toujours à plus tard son intention d'apprendre là-dessus. En marchant vers le carrefour, il remarque ces bosquets grimpants de lauriers fleuris de roses pâles sauvages, des vieux arbres jettent partout de larges pans d'ombres bleutées. Des passants inconnus le saluent. Gaieté !

Voilà Charles qui imagine toute une planète habitée de ces décors champêtres et de foules en congé. Des habitants sans horaire, sans charge, oisifs toujours libres de marcher au soleil, et il tente, en vain, de se remémorer une strophe de Rimbaud évoquant ce rêve impossible. Chaque fois qu'il va en vacances, ce vœu pieux le saisit. Un monde en état de grâce, hommes, femmes, enfants, animaux. Un rêve idiot ? Il a déjà éprouvé cette sensation de bonheur, où était-ce, tente-t-il de se rappeler. Rue Worth à Palm Beach ? Dans un atrium du centre commercial tout de stuc blanc à Bar Harbour ? Dans un parc de Hanover, en Floride ? À Key West, sur la galerie sous les arbres d'une maison d'Ernest Hemingway ? Souvent.

Il arrive au carrefour des quatre chemins et il se secoue. Il a un job, un ouvrage à finir. Il compte un peu beaucoup sur sa rencontre avec les Basani de la Casa, sur cette histoire d'amour de la duchesse et du jeune « chef » Antonio. Piétons, motocyclistes, les vélos et les autos, tout ce monde arrive à circuler en douceur, arrivant des quatre chemins à la fois. Une magie ! Grâce à la torpeur heureuse des estivants.

L'inspecteur décide d'entrer dans une pharmacie-magasin-général. Il a vu l'annonce dans la vitrine, il achète un exemplaire du *Journal de Montréal*. Il date d'hier, vendredi. S'il l'avait acheté juste avant de quitter la métropole, il aurait déjà vu la manchette et la photo de la première page, on y parle d'un « certain Marcel Mastano », cueilli à l'aéroport alors qu'il rentrait d'un séjour en Grèce et en Turquie. L'article ne parle pas de ses délations, parle d'un « ex-waiter » venu de Nice qui ouvrait un café étudiant rue Ontario, qui fut gérant d'artistes, qui est accusé de trafic de narcotiques, principalement de cocaïne.

Le reporter affirme savoir de source fiable « qu'il serait un maillon important d'un réseau nord-américain ». Alors, Charles pense qu'il n'a pas tort de bâtir l'hypothèse de complices venus en toute hâte avertir des associés. Dont Danielle Palazzio ?

Sinon, pourquoi se cache-t-elle ?

Il feuillette son journal, assis sur un banc près d'un tertre fleuri, dans un square minuscule où ronronne l'eau d'une modeste fontaine. Le soleil radieux de ce samedi de septembre le rend paresseux. Aller courir dans la vague en tenant la main d'une Rolande effarouchée et amusée ? Oh oui, au lieu d'aller questionner les Basani.

Questionner, c'est ce que fait Brigadier en ce moment. D'abord il a fait les appels de vérification et on lui a répondu par des « négatif » chaque fois. Il a même donné le nom de Monique Gallant et, après une brève hésitation, celui de Mariette Lagadie. Ensuite il décidait de mettre son maillot de bain. Après tout, son boss ne saura jamais les délais du fichier central de la Sûreté. Dehors, près de la descente pavée, il a pu lire sur l'ardoise 61°. Il court vers la mer, nage, plonge, s'ébroue comme un chien fou. Des bambins se construisent un immense château, architecture molle et fugitive. Il est un tricheur et jouit de ce congé défendu. Il ne voit pas Mariette et Monique un peu plus haut. Il ne voit plus rien. Il est bien. Il est seul dans toute cette mer.

En entrant à la *Casa Angela*, l'inspecteur est assailli par une bonne odeur de sauce aux tomates, d'oignons, de piments ; une odeur qu'il aime. Il en sourit de bien-être. Derrière une sorte de pupitre-lutrin, il remarque tout de suite une forte dame aux yeux très bleus, cheveux châtains, vêtue sombrement. La femme forte semble absorbée dans ses comptes de la veille. Des liasses de papiers l'entourent. Elle lui a jeté un sourire pressé. Par une sorte de fausse fenêtre, Asselin aperçoit un tout jeune homme, yeux très bleus lui aussi, cheveux d'un brun clair. Il brasse chaudrons, plats et poêlons et une jeune négresse apporte des assiettes qu'elle entasse sur des armoires basses. Serait-ce Antonio ? Il paraît n'avoir que seize ou dix-sept ans ! La grosse dame du lutrin-pupitre se soulève difficilement et vient vers lui. Quelques rares clients semblent achever leur petit déjeuner.

— Good day ! Breakfast, sir ?

— Vous êtes madame Basani ? vous parlez français ?

— Çartainement, mossieu. Jé viens de Granby, dans le Québec. Mon vrai nom, c'est pas Angela, mais Angèle.

— Ah ! Je reviendrai pour un vrai repas, cette fois je ne prendrai qu'une brioche et un café. Ça sent bon chez vous, j'aime la cuisine italienne. Énormément, madame.

Angela Basani va donner la commande dans la longue lucarne, revient vers Asselin, se penche au-dessus d'une chaise en s'appuyant sur la table de Charles et, enfin, se laisse choir en poussant de bruyants soupirs :

— Mes pauvres jambes, mossieu ! Si vous saviez. Jé souis pas pourtant si vieille. Ça doit vénir d'un effet de la mer, toute l'humidité de cette place.

Elle grimace et puis rit. C'est l'hôtesse ostensiblement avenante, familière, ce qui a fait le succès rapide d'un restaurant ouvert seulement depuis l'été dernier.

— Oui, mossieu, jé mé demande si j'ai bien faite de suivre mon mari, Bénito, dans ce temps-là. À Granby, mossieu, j'éta une fille jeune et en bonne santé partout.

Elle rit encore, se frotte un genou, agite sa jambe, grimace de plus belle.

— Vous êtes la patronne ici ?

— La seule et ounique, mossieu. Bénito jouait dans un groupe ambulante, il était le « tambour battant », le drummer, à l'hôtel de Granby. J'étais serveuse et il m'a fait des yeux douces. Je l'ai suivi, le Bénito, à Saco près d'ici. Son métier, c'était la maçonnerie comme papa Emilio Basani, un entrepreneur de Saco.

La brioche, réchauffée et beurrée, lui est apportée par la jolie négresse.

— Madame, je cherche une jeune fille, la fille d'un ami de Montréal.

Angela ne pense qu'à son histoire à elle :

— Mon mari, le Bénito, il va revenir vivre avec

moa maintenant. Il est en route. Je l'ai chassé parce qu'il buvait et qu'il jouait aussi. Il a changé. Il m'a écrit qu'il est beaucoup changé.

— Madame Basani ?

— Vous pouvez m'appeler Angela, tous nos clients font comme ça. J'aime beaucoup parler le frança avec les touristes du Canada d'en haut. Je veux pas l'oublier, mon langage de ma jeunesse.

— Je voudrais savoir, madame...

— C'est lui, mon Bénito, qui m'a appris toutes les recettes italiennes. Je suis été élevée par ma grand-mère qui m'a jamais rien montré, qui m'a gâtée. Pourrite même !

Elle rit.

— Oui, je savais rien faire en arrivant dans mon mariage. Bénito était un vrai bon cuisinier.

— Madame, est-ce que c'est Antonio qui est là, à la cuisine ?

— C'est Pascal, mon plou petit. Jé loui enseigné les recettes italiennes. Celles de mon mari, le Bénito parti qui va s'en revenir avec moa. Il a écrit pour moi un grand lettre, il est toute changé dans sa vie. Travaillant, sérious maintenant. Je l'aime toujours, mon drummer de Granby, vous comprenez ça ?

— Madame, il faut absolument que je parle avec Antonio.

Sa figure se fige soudainement, elle ne rit plus du tout, sa bouche fait une large moue maintenant.

— À l'heure qu'il est là, jé sais plou où il est rendu, mon grand garçon. Il ma fera mourir dans toutes les inquiétudes, savez-vous bien ça ?

— Je dois le voir à propos de cette jeune fille que je cherche partout.

Angela fait de gros yeux méchants maintenant, ses mains s'ouvrent, menaçantes :

— Toutes les filles viennent lui tourner la tête, à mon Tonio, c'est un beau garçon, noir et frisé comme il était, mon Bénito, quand il venait faire la musique au Québec. Ces filles du Québec, elles veulent toutes me l'enlever, ma moa, j'ai besoin de lui dans la *Casa*.

Elle se lève péniblement, va chercher une cafetière et lui verse du café chaud.

— Il est devenou plus habile que moa maintenant pour lasagna, fettucini, ravioli, spaghetti, tout et tout. Mais, il vient de recevoir cette maudite grosse bicycle à gazoline.

— Ah ! Il se balade dans les alentours ?

— Il va sur toutes les routes comme un démon avec cet engin rouge et noir. Il reviendra quand ? Dans la nuit ? Ou bien demain ? Ou bien jamais, mort écrasé comme oune grenouille !

— Quand vous a-t-il quittée ?

— Jeudi. C'est un fou, ça, maintenant, avec cette moto du diable. Peut-être il a décidé d'aller voir ses tantes à Granby. Peut-être. Il dit jama rien à sa maman !

— Vous savez pas comment le rejoindre, il ne téléphone pas ?

— Mossieu, aux jours de d'hui, ni les filles ni les garçons obéissent aux parents. Vous avez des enfants encore, vous ?

— Non, madame !

— Ah ! C'est effrayant, mossieu. Plou aucun contrôle ! Rien.

Angela replie et déplie sa jambe douloureuse et grimace de plus belle.

— À Granby, moi, toute fillette, j'étais un ange,

mossieu. Un modèle pour ma vieille grand-maman qui m'a élevée. Jé vous le jure.

Elle reprend soudain ses yeux méchants :

— C'est qui, ça, cette fille que vous cherchez ? Elles sont toutes accrochées à mon Tonio.

— Une brunette, Danielle, son prénom.

— Ah, Danielle, hein ? Elle lui a tourné complètement les esprits, votre Danielle.

— Je dois la retrouver. Antonio l'aurait-il amenée sur sa moto ?

— Non. Mon Tonio est parti en solitaire. Il s'est passé des choses cette jeudi entre Tonio et cette petite démone.

— Vous ne savez pas quoi au juste ?

— Non, mais je connais mon grand garçon, mercredi soir, il est venu prendre la cuisine avec un air de chien battu. Il cassait les assiettes, renversait les sauces. J'ai vu qu'il y avait des troubles. Jé lui dis : « Quoi qui ne va pas, Tonio ? » Et il me regarde même pas, il dit : « Des girouettes, ces filles de Québec. »

Angela se masse la poitrine, se frappe le cœur, roule des regards mélodramatiques. Soupire, expire, respire profondément.

— Vous n'avez rien su de précis ?

— Non. Il parlait plou. Rien. À la fin de sa soirée de son travail, il s'est ouvert le bec un peu.

Angela n'arrête plus, elle lui raconte une autre démone, Monique, et une autre encore avant Monique Gallant. Elle lui raconte que son Antonio, jeudi, décidait de renouer soudainement avec une amie de jeunesse, une infirmière travaillant à Biddeford dans un foyer de vieillards riches. Angela lui fait comprendre, plus ou moins directement, qu'elle n'aime guère les Québécoises plutôt délurées et qu'elle voit d'un bon œil ces retrouvailles avec l'infirmière. Cette Lise Day ne parle plus français, elle est de Saco d'où les Basani viennent. Enfin, elle lui parle de son angoisse de mère. D'une mésentente fondamentale entre le père et le fils, ce père qui revient s'installer après tant d'années. Elle se plaint, elle se lamente, se demande comment elle pourrait les réconcilier, le père et le fils. La quête d'Asselin ne l'intéresse pas du tout. Elle redoute seulement un accident de la route pour son cher fils, son bien-aimé fils Antonio.

À la fin, elle dit :

— C'est mon mari, vous comprenez ? Est-ce que je devrais refuser son retour ? Est-ce que je pourrai faire passer l'amour de mon Tonio par-dessus l'amour pour mon Bénito ?

Asselin ne répond pas, hausse les épaules, ne se sent guère avancé dans sa recherche de la fille du sous-ministre.

Brigadier fait son entrée au moment où Angela va reprendre sa mélopée.

— Je vous présente mon associé, monsieur Brigadier.

— Brigadier de quoi, jé pourrai savoir ?

Asselin rit et explique. Il s'amuse de constater que l'adjoint s'est changé encore une fois. Il porte un débardeur d'un vert pomme criant d'acidité sous un coupe-vent, sorte de blouson de nylon turquoise et un pantalon d'un mauve phosphorescent. Il n'en revient pas.

— Très chic, mon ami, très chic !

— Oui, mais c'est moins chaud que je pensais.

— Pis, les téléphones ?

— Rien ! Négatif partout. Même pour Monique Gallant. Ce Ben Kahn, le yachtman, c'est un « curé » qui redresse des jeunes délinquants.

— Et pour Mariette Lagadie, vous avez demandé ?

— Absolument, chef ! Négatif ! Ils pouvaient pas expliquer pour la police chez Bucher. Ils vont vérifier et nous rappeler plus tard.

Brigadier hume l'air du restaurant :

— Chef ! Ça sent bon ! J'ai encore faim ; madame Basani, deux œufs frits et des rôties !

Angela va clopin-clopant à sa lucarne. Pascal est remonté au logis à l'étage et elle va mettre le pain à rôtir elle-même.

— Brigadier, votre tenue, on dirait pas que vous êtes au travail !

— Ça tient du déguisement, patron, et puis on est pas des agents de la circulation, après tout.

Charles profite de l'absence de la proprio pour lui narrer ce qu'il vient d'apprendre : la peine d'amour du fils, l'escapade en moto, son retour à une amie d'enfance, infirmière de l'hospice de Biddeford. Brigadier l'écoute avec la mine d'un élève studieux.

— Bon. J'ai compris. Petite visite à Biddeford pour cuisiner l'infirmière, voir si l'Antonio l'a pas embarquée sur sa moto, c'est ça ?

— À moins qu'après sa querelle avec l'amant secret, notre Danielle soit sa « cavalière » !

Asselin lui donne le journal :

— Jetez un coup d'œil, il y a à craindre que l'affaire Mastano soit encore plus délicate que le pensait le sous-ministre Palazzio.

Asselin boit son café, achève sa grosse brioche aux amandes et Angela se réinstalle, apportant les œufs et les rôties. Pour le nouveau venu, madame Basani se répète, raconte son jeune temps à Granby, la grand-mère qui la couvait complètement, son innocence de tout, un grand-père « laid comme sept yables » et qui inventait sans cesse des machines incroyables pour améliorer l'agriculture...

Asselin l'écoute d'une oreille distraite, se lève, va examiner des affiches de l'Italie sur les murs. Un pays où il aimerait aller depuis si longtemps.

— Mossieu Lassalin, votre associé est un beau garçon ! Oui, mossieu Jean, vous avez l'air d'un Suédois, d'un explorateur Viking, j'ai vu un film sur ces marins-là à la télévision. Blonds et de grandes dents !

Elle rit. Jean rit aussi. Elle lui passe une main maternelle sur le visage. Il fait l'enfant choyé un instant. Près de la sortie, il y a une photo de son Antonio, toque blanche sur ses cheveux frisés. Très beau garçon, juge Asselin, des yeux sombres, de longs cils ombragent un regard très doux. Il se dit qu'il devrait prendre cette photo, qu'elle pourrait peut-être lui être utile. En sortant, il tentera de l'arracher discrètement. Il revient s'asseoir.

— Vous avez deux garçons seulement ?

— J'ai une fille aussi, entre les deux. C'est une charge, mossieu, faut bien que je le dise. Elle est infirme à une jambe. Elle la traîne comme un boulet, c'est de naissance. Elle a sa canne toujours. Pauvre Sophie ! Bénito l'appelle Sophia.

— Elle ne peut vous aider au restaurant ?

— Elle garde mon vieux magasin, mais je vais fermer *The thing*, c'est une petite « marché de puces », comme vous dites en françai.

— J'aime bien fouiner dans ces magasins de vieilleries, moi, madame Basani.

— Quand Sophie est venue au monde, mon Bénito s'est mis à plusse boire encore ! Jé pourrai jamais lui trouver à marier, j'ai bien peur.

Angela a pris un visage attristé et baisse la voix, se penche :

— En plusse, elle a une joue tachée, c'est comme du vin rouge. Pauvre pétite Sophie ! Elle est trop pleureuse, un mot de trop et c'est la crise. Trop de sensiblerie, ça, non ?

Brigadier approuve machinalement en avalant goulûment œufs et rôties, il questionne :

— C'est quoi, la moto d'Antonio ? Gros modèle ? Combien de cc ?

— Demandez pas ça à une mère, c'est un gros engin de malheur, c'est toute rouge avec des bonhommes en noir chaque côté, deux gros tuyaux en argent, c'est pour se tuer, ces machines-là. Brrr !

Le jeune Pascal se ramène, un menu à la main, il appelle sa maman. En anglais. Elle s'y traîne en soupirant.

— Patron, comment ça se fait qu'ils m'ont répondu « négatif » pour Bucher ?

— Simple, parce que Bucher, comme tant d'autres, ne s'est jamais fait pincer.

— Le programme, ça va être quoi ? La garde-malade, Lise Day ?

— Non. On retourne au chalet, cette Monique Gallant doit me raconter son histoire d'amour avec cet Antonio. Vous, Brigadier, vous achèverez de confesser Mariette.

Asselin a payé et marche vers la sortie. Brigadier, debout, achève son café.

— Dépêchons. D'ici midi, il faudra retrouver notre duchesse. Et ne faites pas crisser les pneus en partant, d'accord ?

18

Moqueur, Brigadier roule très lentement sur la 1-A.

Au chalet, personne ! Qu'un vieux chat orangé qui s'empiffre dans l'écuelle de tôle. Pas de message épinglé pour la duchesse, cette fois. Des oiseaux pépient.

— Avec ce beau soleil, c'est clair, les filles sont à la plage. L'eau est à 61° !

— Comment le savez-vous, Brigadier ?

— Oh ! écoutez, oui, une petite trempette. Je suis resté cinq minutes dans la mer, c'est fou d'être ici et de ne pas y saucer un orteil. C'est mal vieillir, ça, sauf vot'respect !

Asselin marche vers le Shore Road et Brigadier le suit :

— Elles sont étendues dans le sable, je vous dis, on y va, non ?

— J'ai besoin de marcher un peu. Regardez cet écriteau !

— Mariette m'a parlé de ça, le Marginal Way, ça longe les petites falaises rocheuses, ça conduit de Perkins Cove jusqu'à la plage, tout le long de la mer, pour piétons seulement.

— Bien, je marcherai jusqu'à la plage et j'irai parler à Dubreuil au téléphone. Ramenez la voiture, chauffeur !

Brigadier fera crisser les pneus.

Asselin s'engage dans ce joli sentier, des affichettes nomment les arbustes, il les lit : « aronias », « amandier-prunus », « cræteg us », « caragana »... Il a remarqué un vieillard qui semble le suivre, qu'il a vu sortir d'une maison de pension voisine du chalet. Grosses moustaches blanches, favoris abondants, l'homme semble inquiet, tourmenté, fait mine de s'arrêter chaque fois qu'Asselin s'immobilise pour lire le nom des arbustes du sentier.

Asselin fait un arrêt volontaire et admire les rochers qui bordent le rivage et qui font contraste avec la blondeur de la plage à l'horizon. Le vieillard semble en profiter pour le rejoindre aussitôt.

— Je vous ai entendu parler français, vous êtes du Québec, monsieur ?

— Oui, de Montréal.

— Je suis retraité, Adrien Dubois, mon nom.

Le moustachu a levé sa casquette comme faisaient les hommes d'un autre temps.

— Magnifique, ce Marginal Way, n'est-ce pas ?

— Magnifique, monsieur Dubois, oui.

La vague, à marée haute, vient battre tous ces rochers aux rouges variés, ici on dirait du bronze strié, là, du cuivre rongé. Gigantesque fresque de sculptures naturalistes. Du côté des pavillons et des motels, des fleurs un peu partout entre les bosquets d'arbustes, le sentier va tortillant légèrement. Des éclaircies d'arbres permettent, çà et là, de bien voir l'Atlantique et son horizon à perte de vue. À cette hauteur, le vent force parfois Asselin et le retraité à retenir, qui son chapeau de paille, qui sa casquette. Monsieur Dubois a ramassé un gros bâton et indique un motel :

— Vous voyez ce joli petit motel de briques roses ?

Eh bien, hier encore, notre premier ministre y séjournait avec sa suite obligée.

Une douzaine d'oiseaux s'abattent soudain sur la crête d'une haie de gadeliers et d'amélanchiers, plus haut, un goéland tournoie, braillard, guettant on ne sait quoi.

— Paraît qu'ils ont des yeux perçants. Cet oiseau doit guetter un poisson, il va plonger.

Il plonge. Plus bas, Asselin voit une mère et sa fillette qui, pieds nus, semblent fouiller un repli de rocher.

— Ils ramassent des oursins. On m'a dit qu'il y en a pas mal.

Asselin marche plus rapidement, le vieillard le rejoint encore et lui tire la manche :

— Je voudrais vous parler de quelque chose qui me chicote, monsieur. Pourtant, j'ai pratiqué un métier exigeant la totale discrétion, j'étais gérant de banque, je n'ai rien d'un importun d'habitude.

— Faites vite, monsieur Dubois, j'ai des gens à voir sur la plage.

En fait, Asselin songe à téléphoner au plus tôt au respectable sous-ministre. Il espère lui faire avouer qu'il savait sa fille aux prises avec un trafic quelconque. Monsieur Palazzio a pu cacher une bonne partie de la vérité au sujet de sa Danielle. Si c'est le cas, Asselin revient au pays et « que la justice suive son cours ».

— J'ai remarqué que vous vous intéressiez à mes jeunes voisines, vous et votre fils, peut-être ?

— Mon chauffeur.

— Ah ! Êtes-vous le papa de l'une des trois demoiselles ?

— Non. Que voulez-vous me dire au juste, monsieur ? Je suis en retard.

— Ce qui me chiffonne, c'est que j'ai surpris une

terrible querelle, ici même, sur ce sentier, entre la jolie brunette et un garçon noir tout frisé.

Asselin tente de cacher un peu son intérêt, n'y réussit pas :

— Monsieur Dubois, je suis inspecteur et en mission ici, je cherche partout une certaine Danielle Palazzio, votre voisine, la brunette.

— Eh bien voici ! Je me promène souvent par ici et j'ai vu la jolie brune qui se faisait bousculer, et rudement, par ce jeune homme à frisettes. J'ai reconnu tout de suite une de mes jolies voisines, cette Danielle qui, déjà ?

— Peu importe, monsieur Dubois, ça s'est passé quand, exactement ?

— Avant hier, très tôt.

— Jeudi matin ?

— C'est ça, oui. Une vraie bousculade. Et des cris. La brunette pleurait en essayant d'éviter les coups. L'autre m'a semblé enragé, démonté, furieux, quoi.

— Le jeune frisé ne craignait pas les passants ?

— Il était si tôt. Je dois marcher, je suis cardiaque, j'ai subi plusieurs pontages déjà. J'étais caché par ces buissons, regardez là-bas, c'était près du petit phare blanc, vous le voyez d'ici ?

— Avez-vous pu entendre ce qu'ils se criaient ?

— Lui gueulait et elle protestait. Ils se sont tus en m'apercevant.

— Une chicane d'amoureux, oui ?

— Difficile à dire. J'ai entendu : « C'est une vieille histoire », la brune disait ça. Et « C'est fini, c'est fini, je le reverrai plus ». Querelle d'amoureux, oui, sans doute. Lui, il gueulait : « Salope, putain ». C'était pas beau à voir, il la frappait, vous savez.

— Êtes-vous déjà allé manger à la *Casa Angela*, monsieur Dubois ?

Asselin songeait évidemment au bel Antonio.

— Ah non ! Les mets italiens, j'ai pas le droit. Pourquoi cette question ?

— Vous êtes ici pour longtemps encore ?

Monsieur Dubois s'énerve. Il craint de s'être mêlé d'une affaire où on pourrait « l'assigner à procès » comme témoin. Ce qu'il redoute énormément.

— Attendez, je dois vous dire que j'ai pas bien vu, ni « tout » vu, je dois remonter mardi à Montréal, à Brossard plus exactement. Ma fille est malade, doit être hospitalisée, vous voyez. Je garderai ses deux petites filles, je...

— Vous en faites pas, monsieur Dubois, une simple querelle d'amoureux.

— Je ne la vois plus au chalet, cette brunette, c'est pour ça que je me disais...

— Je la retrouverai bientôt, soyez sans crainte.

— J'habite à côté, au *Merrymoore*. C'est bien, c'est tranquille, beaucoup de vieilles dames de bonne classe, d'agréable compagnie. Je repars mardi matin.

— Au revoir, monsieur Dubois.

— Je ne vous ai pas tout dit. J'avais continué mon chemin le long des côteaux vers Perkins Cove, mais, à un moment donné, je me suis dit que cette petite voisine avait peut-être besoin d'aide. Je suis revenu sur mes pas. Il la frappait, vous savez ? Oui, je me trouvais lâche, des fois, il suffit qu'un curieux s'incruste pour faire cesser une bagarre, pas vrai ?

— C'est certain. Et alors ? Ils y étaient encore ?

— Non. Plus personne. Cinq ou dix minutes à peine s'étaient écoulées, mais regardez ce que j'ai trouvé accroché à une branche de cornouiller.

Monsieur Dubois sort de sa poche arrière un t-shirt déchiré presque en deux.

— J'ai cru à un fanion d'abord, vous voyez, c'est marqué « Station soleil ». Vous voyez la déchirure, n'est-ce pas ? J'ai eu peur. J'ai examiné le rivage en bas. Fou, hein ? Je cherchais une blessée. Une noyée, peut-être ? C'est visible qu'il lui a arraché son chandail de coton, pensez pas ?

Asselin imagine une Danielle en maillot de bain, se sauvant, terrorisée.

— J'ai hésité tantôt, mais comme je vous avais vu au chalet, j'ai cru bon... mais n'oubliez pas, je ne veux pas être mêlé à cette histoire. Mon cœur !

— Ça restera entre nous, monsieur, je vous laisse à votre promenade de santé. Je garde le t-shirt, vous voulez bien ?

— Bien sûr. Au revoir, monsieur.

Le vieux à la casquette de toile beige marche vers Perkins Cove, Asselin vers la plage publique. Il plie la chemisette et la fourre dans une poche de son veston. En marchant, il tente de débrouiller une hypothèse : Antonio a exigé cette rencontre, on l'a mis au courant pour l'amant marié. Qui ? Mariette ? Monique Gallant plutôt, pour mieux le ravoir à elle ? Dépité, l'amoureux bafoué, Antonio, veut lui cracher son mépris, sa haine. Il a crié : « Salope, putain ». Il se souvient maintenant d'une Danielle criant : « C'est fini, c'est terminé » ! Peut-être se sont-ils embrassés langoureusement après les coups ? Réconciliation classique ? Danielle, en ce moment, s'accroche peut-être à son beau motard, et le couple fuit, Antonio, le restaurant, Danielle, un Corbo menaçant... Asselin cherche autre chose déjà en marchant très lentement.

Il tente en vain de se remémorer ce que disait le gérant du *Riverbank* lors de cette autre querelle, celle du mercredi soir, la veille de cette chicane sur ce sentier. Il devra aller consulter son calepin de notes laissé au 46 du *Norseman*.

19

Maintenant, le limier sort du Marginal Way et marche sur le Beach Road. Un seul pêcheur sur le petit pont. Un gamin de cinq ans. Chaudière vide. Personne à l'eau. Brigadier avait pris le chiffre 5 pour un 6 puisque Asselin lit sur l'ardoise de l'entrée de la plage : 51°F. Brrr ! Il le cherche des yeux, son efflanqué de « chauffeur ».

Le vent n'est pas moins froid qu'hier et il y a peu de monde sur la plage. Les rares braves ont mis des chandails ou des coupe-vent. Le ciel est vide de nuages, d'un bleu saturé, d'une limpidité irréelle. L'horloge du *Norseman* indique midi, déjà ? Deux cargos semblent figés sur la ligne foncée de l'horizon et ont pris la couleur noirâtre de l'océan lointain, là où le ciel se sépare de l'onde. Il retire ses sandales, relève le bas de son pantalon, marche résolument dans le sable fin vers le nord, vers Moody Beach. Il enjambe un long câble de nylon jaune muni de tonneaux de plastique rouge. Au loin, les silhouettes d'un trio familier. Ils sont là-bas !

Brigadier se livre en maillot orangé à une gymnastique furibonde. En face de lui, Mariette semble l'instruire d'une suite de mouvements. Il l'imite. Se rapprochant, il voit maintenant Monique Gallant, couchée sur le ventre, lisant un bouquin épais.

— Ah ! Voilà mon bon maître ! Un peu d'exercice pour diminuer le bedon, chef ?

Asselin salue le trio, mais aussitôt Monique se redresse, se lève, a fourré son roman dans son sac de plage et s'éloigne rapidement en longeant la mer.

Asselin connaît bien cette attitude des gens qui détestent la police, il y a longtemps qu'il a appris à vivre avec ce mépris, cette méfiance automatique.

— Patron ! C'est fou, hein, j'avais lu 61 sur l'ardoise et j'avais trouvé l'eau bien bonne. Maintenant que je sais qu'elle est à 51, j'ai pas pu y mettre le gros orteil !

— C'est mental, mon Tit-Jean.

Mariette rit. Asselin va s'asseoir près d'elle.

— Mademoiselle Lagadie, si vous me parliez un peu du nouveau couple formé par Antonio et la duchesse Danielle ? Ça restera entre nous deux.

Brigadier grimace, sort un peigne de sa culotte orange, démêle sa chevelure nouée par le vent du large, s'éloigne en sifflotant. Se réfugiant au fond de son grand parasol, Mariette dit à Charles :

— Qu'est-ce que je peux vous dire ? Comme je l'ai dit à Jean, Danielle a toujours besoin de vérifier ses charmes. Pour se rassurer, parce que je peux vous le dire, son prof Popol, c'était une passion, vous savez ? Elle accourait même pour le voir une petite demi-heure quand il pouvait se libérer.

— Alors, ce bel Italien, soudainement ?

— Je vous avoue que ça m'a étonné. C'est lui qui a eu le coup de foudre. Mais... est-ce que c'est contagieux ? — elle rit aux éclats — ça a pas été long que la duchesse était dans ses bras, le suivant partout, allant même l'aider à la *Casa*, oui, monsieur !

— Et Monique, là-dedans ?

— Écœurée, la pauvre Monique ! Elle en a pleuré un coup, traitant la duchesse de « voleuse d'homme », de « salope », de « putain ». Asselin songe aux paroles entendues par Adrien Dubois, les mêmes, sur le Marginal Way, jeudi matin.

— Tonio venait la chercher tous les matins avec son petit bazou bleu, mais Jean m'a dit qu'il avait une moto maintenant ?

— Sa maman n'en dort plus ! Elle le couve, n'est-ce pas ?

— Mon Dieu oui ! Angela détestait Monique, ensuite elle a pris en grippe Danielle. Même moi, au restaurant, elle me saluait à peine. Nous étions, toutes les Québécoises, des filles dangereuses.

De nouveau son grand rire frais.

— Pensez-vous que l'Antonio avait appris pour l'amant secret de Danielle ?

— Ça... j'sais pas. Faudra le demander à Danielle quand vous la verrez.

Éclats de rire encore.

— Écoutez-moi bien. J'ai rencontré un vieux monsieur de votre voisinage qui a surpris Danielle au milieu d'une querelle plutôt terrible, jeudi matin !

— Je vois, le bonhomme Dubois, ce vieux voyeur avec ses jumelles pendues au cou et qui écornifle partout du matin jusqu'au soir ?

Charles se rappelle l'étui de cuir porté en bandoulière par le gérant retraité.

— Antonio frappait votre amie. Est-ce que c'est un garçon violent ?

— J'pense pas. C'est plutôt le type sentimental, romantique. Un doux. Méfiez-vous du bonhomme à moustaches. Il rôdait autour du chalet. Un jour, je rentrais du

Fan Club, tard, il collait du côté de notre salle de bain ! Un bel écœurant !

— Peut-être.

— Une autre fois, un matin, je le pince grimpé sur le tonneau à pluie, encore du côté des toilettes. J'y ai lâché un « wack » ! Je vous dis qu'il a déguerpi, le saligaud de vicieux !

Elle rit encore et ramène souvent ses longs cheveux blonds à cause du vent. Charles sort de sa poche le t-shirt déchiré. Mariette ouvre de grands yeux :

— C'est à Danielle, ça ! Elle en avait toute une série, de toutes les teintes !

— Votre voyeur a trouvé ça en repassant sur les lieux de la dispute, déchiré, comme vous pouvez voir.

Brigadier se rapproche, s'assoit et examine la chemisette marquée « Station soleil ».

— Mariette, il me vient un flash, ça se pourrait-y que notre Tonio ait pu décider d'enlever Danielle, de la cacher comme un otage ?

— T'es fou, Jean ! Danielle, c'est pas un petit oiseau. Tu la connais pas ? Penses-tu qu'elle se laisserait faire ? Antonio était fou d'elle, un petit toutou, toujours en train de lui téter les oreilles.

— Justement, Mariette, si Antonio était mordu à ce point-là, on peut imaginer le pire. Je dis pas vrai, patron ?

Asselin se lève, s'époussette le fessier, il va communiquer, c'est décidé, avec la police du Maine. Il faut vite retrouver le chef de la *Casa*.

— Brigadier, on s'en va, c'est urgent ! Debout !

Brigadier déteste se faire parler en subalterne, devant Mariette surtout. Il tente de blaguer, fait un salut militaire, bombe le torse, se met au garde-à-vous :

— À vos ordres, mon commandant !

Asselin l'amène un peu à l'écart :

— Allez vous habiller. Convenablement si possible. Vous allez à la recherche de la grosse moto rouge, faites le tour des villages, de Old Orchard à York.

— Bon, bon.

— Partez du sud et rendu à Biddeford, essayez de rencontrer cette Lise Day, l'infirmière de l'hospice privé. Antonio se balade avec elle ou avec la duchesse, Danielle. Je vous attendrai au motel, ne traînez pas, soyez de retour vers trois heures au 46.

Brigadier ramasse ses affaires, soupire, se redresse :

— Je peux amener Mariette avec moi, oui ?

— Non. Je vous ai dit « rapidement ». Avant trois heures si vous pouvez, au 46.

Brigadier se penche, puis se jette à genoux et embrasse Mariette, yeux fermés, pendant que Charles marche dans la direction prise par Monique Gallant tout à l'heure.

Brigadier met ses mains en porte-voix :

— Vous allez pas au motel, chef ?

— Plus tard, marche de santé obligatoire !

Mariette se met un peu d'huile à bronzer, à son tour, crie :

— M'sieur Asselin, je vous accompagne si vous voulez ?

Déjà loin, sans se retourner, Asselin gueule :

— Merci. J'ai besoin d'être seul.

Charles a son idée. Il marche d'un pas rapide. Il songe au vieillard malade, Dubois. Il a parfois une douleur au bras gauche et à l'estomac, ça l'inquiète, même s'il ne va jamais visiter le médecin. Même peur que son vieux papa des disciples d'Hippocrate. Rolande le gronde souvent sur cette frayeur puérile.

L'inspecteur tient à bavarder avec cette taciturne Monique Gallant. Il ne sait plus trop de quel côté creuser, il en est rendu à imaginer une Monique à la vengeance fatale, criminelle. Une fille jalouse, un meurtre banal. C'est qu'il se méfie toujours de lui-même et il se dit qu'au lieu d'une ténébreuse affaire de trafiquant, il peut y avoir une affaire toute simple : un immense chagrin d'amour terrible, et puis, un geste fou. De trop. Une duchesse à la mer ?

Quasiment au pas de course, un couple de gras jeunes hommes, sacs en bandoulière, aux jeans moulant le fessier, le dépasse et bifurque soudainement vers les dunes, traversant une brèche dans la clôture de lattes et les joncs, ils disparaissent de sa vue dans un creux des buttes de sable.

20

Cette partie de la longue plage est déserte. Le vent lui fait du bien. Il respire à pleins poumons. La vague râle avec cette régularité qui fait qu'on en vient à ne plus l'entendre. De l'écume toute en frisettes crève ses bulles sur le sable dur libéré de la marée peu à peu. Il est impuissant à qualifier cette odeur du bord de la mer, une senteur qui le stimule toujours. Il se dit qu'il deviendrait sans doute un autre homme s'il habitait un bord d'océan à l'année longue. Que ferait-il ? Rédigerait-il ses « mémoires d'un vieux limier », comme parfois il y songe ? Il en a tant vu. Parfois il a eu peur, parfois il a eu mal. Ce métier l'a mêlé si souvent à la misère humaine. Lors du lancement récent d'un film éducatif réalisé par sa compagne, un jeune éditeur lui a proposé cette rédaction. Il a dit en riant : « Quand je serai vieux, mon ami. » Il y a la peinture. Ça le prend une fois ou deux par année. On lui a dit un jour qu'il avait « de la patte ». Devenir peintre naïf ? Pourquoi pas ? Un vieux dessinateur, venu remettre un story board à la maison, lui avait dit, voyant ses petits essais : « Vous feriez un artiste primitif pas banal. »

Enfin, il voit Monique, vraie négresse vue de loin, qui marche vers lui sans le savoir. Son esprit revient sur terre. La jeune fille a les mains remplies de coquillages, de quelques bois « flottés », épaves tortueuses minuscules. Il arrive à sa hauteur, elle ne le voit pas, toute à sa cueillette :

— Bonjour ! On peut causer un peu ensemble ?

— Antonio Basani est un grand malade, un fou dangereux, je l'ai connu, moi.

Cette soudaine confession l'étonne grandement.

— De quoi le croyez-vous capable ?

— Je l'ai dit à Jean, de l'avoir enlevée, de la cacher.

Asselin découvre le peu d'imagination de Brigadier qui prenait sur lui tantôt cette hypothèse.

— Comme dit votre amie Mariette, Danielle Palazzio n'est pas fille à se laisser faire. Votre avis ?

— Croyez pas que je lui en veux. La vérité, si vous voulez que je vous la dise, c'est que la duchesse m'a débarrassée de ce fou furieux. Un collant, gluant même. Un jaloux maniaque.

— Assez jaloux pour aller jusqu'où, pas au meurtre, j'espère ?

Monique arrête de marcher quelques instants, elle regarde au large. Un joli yacht passe en trombe, sur le pont avant, des filles saluent en vain.

— Ici, si un passant me disait « bonjour », c'était la crise ! Un gars dangereux, ça, non ?

— Danielle se cacherait, elle se serait sauvée de lui par peur ?

— C'est difficile de lui échapper. Il montait à Montréal pour me voir et, chaque fois, c'était les grands serments. Il disait étouffer loin de moi. Il voulait s'inscrire à notre Institut d'hôtellerie. Au printemps, il a appris que son père voulait se réinstaller à la maison, il pleurait, il le déteste, il dit que c'est un joueur et un ivrogne. Il ne lui pardonne pas d'avoir abandonné femme et enfants, il y a longtemps. Il jurait qu'il s'installerait à Montréal, qu'il trouverait de l'aide pour ouvrir un restaurant italien. Il parlait d'une tante riche, à Granby, du côté de sa mère... Asselin n'en revient pas, elle si peu loquace jusqu'ici, c'était un flot maintenant. Il remarque que ses yeux sont embués de larmes pendant qu'elle ose :

— Oui, c'est un bon débarras. Je lui souhaite bien du plaisir à notre duchesse.

— Mademoiselle Gallant, savez-vous si Antonio avait appris pour l'homme marié de Danielle ?

— Oui. Le salaud, c'est sur mon épaule qu'il a voulu brailler. Je l'ai reviré.

— Quand ça ?

— Mercredi soir, après le départ de la duchesse vers Bucher, il venait de fermer la *Casa*, il devait bien être une heure du matin. Le salaud !

— Qui lui a dit pour Corbo et Danielle ?

— J'sais pas. Il la suivait, il l'espionnait peut-être. Il a pu la voir aller jusqu'au motel de Popol Corbo, non ?

— Cette nuit-là, qu'est-ce qu'il vous a dit, des menaces, peut-être ?

— Il était hors de lui, il avait réussi à se faire admettre à l'Institut à Montréal, imaginez sa déception.

— Oui, j'imagine. C'était vraiment le grand amour entre eux ?

— Avec lui, c'est toujours l'amour fou.

Elle s'arrête de nouveau et rejette soudain tout ce qu'elle a ramassé.

— Je l'ai aimé, c'est vrai, je l'ai aimé. Il est comme un petit garçon et nous autres, les filles, belles folles, on se fait avoir. On a de la misère à résister à ça, l'instinct maternel ! Une bêtise.

Elle tente de lui sourire, elle donne des petits coups

de pied dans le sable puis se remet en marche, secouant ses longs cheveux très noirs.

— Dites-moi, se pourrait-il qu'ils soient montés à Montréal tous les deux ?

— Voulez-vous que je vous dise une chose ? Jamais la duchesse pourra quitter son grand homme marié, son amour tabou, jamais ! Il est là, le drame d'Antonio, et c'est bien fait pour lui.

— Je peux vous dire, mademoiselle, qu'il y a eu une terrible dispute entre elle et Léopold Corbo. Qu'il était inquiet hier soir, vraiment bouleversé.

— Danielle, en ce moment, elle doit être à son appartement, au Rockhill tout simplement.

— Non. C'est vérifié sans cesse. Elle n'y est pas.

Elle se tait, Asselin veut en savoir davantage. Il cherche un sujet, trouve :

— Antonio vous parlait d'acheter une moto ?

— Oui. C'est un petit garçon de vingt-neuf ans. Un bébé.

— Il l'a maintenant et il a quitté sa maman. Il roule, Dieu sait où et avec qui.

— Il roule avec la duchesse, non ?

— On le cherche, on ne sait pas. Il y a un vieux monsieur qui les a surpris sur le Marginal Way, votre Antonio la frappait et l'engueulait vertement.

— Quand ça ?

— Jeudi matin, très tôt.

— Qui vous a dit ça ?

— Un retraité, un voisin du chalet.

— Le vieux vicieux à casquette et à jumelles, c'est ça ?

— Plus tard, il a découvert ceci.

Il lui montre le t-shirt déchiré.

Elle s'arrête encore :

— Qu'est-ce que vous voulez me faire dire ? S'il a pu la tuer ? C'est ça ?

— Je veux rien vous faire dire, mademoiselle Gallant. Je cherche, je pensais que vous pourriez m'aider. Depuis l'arrestation du trafiquant Mastano, l'ex-manager de Danielle, son papa sous-ministre est fou d'inquiétude.

— Danielle se drogue pas. Est plutôt le genre « granola » sur les bords, elle s'entraîne au centre « Santé-Plus ». C'est plutôt la fille à aller faire du *body building*.

On se rapprochait de Mariette et de la plage municipale d'Ogunquit.

— Ce Mastano, vous l'avez bien connu, vous aussi ?

— Pas vraiment. J'ai jamais aimé ses manières doucereuses, je m'en méfiais, j'ai de l'instinct, moi.

Asselin voulait qu'elle ralentisse le pas, il lui prit un avant-bras :

— Pour ramener sa fille à monsieur Palazzio, à ma place, de quel côté fouilleriez-vous ?

Monique se secoue, se défait de la main d'Asselin :

— Si vous saviez comment je me fiche de la duchesse, vous me demanderiez pas ça. Autant Mariette est une fille claire et nette, autant la duchesse est compliquée, secrète, par en dessous. Je suis pas intéressée à la revoir. C'est franc, ça ?

Elle presse le pas et ne dit plus rien. Elle s'éloigne d'Asselin pour, de nouveau, aller ramasser des coquillages libérés par la vague. En rejoignant Mariette Lagadie, Monique jette dans son sac ce qu'elle vient de ramasser.

— Pis, Monique ? As-tu pu te vider le cœur comme il faut dans l'oreille de m'sieur Asselin ?

Elle rit. Monique grimace, ramasse sa serviette de plage :

— Je rentre, moi. On gèle. Je vais manger, j'ai faim. Tu restes ici ?

— Monique ? C'est les derniers beaux jours, mardi, boulot, métro, dodo !

Monique s'en va sans rien ajouter, pataugeant dans l'eau du rivage.

Trois goélands se posent sur un des tonneaux rouges, semblant admirer un véliplanchiste audacieux, acrobate ensoleillé faisant sauter habilement sa planche sur la crête des vagues. Mariette achève de peler une mandarine :

— Vous avez pas appris grand-chose, vrai ?

— Pas mal de choses : par exemple, qu'elle est bien débarrassée de ce jaloux d'Antonio.

— Faites-moi pas rire ! Elle l'aime toujours, à la folie, elle veut pas l'admettre.

— Comment pouvez-vous en être si certaine ? Si vous l'aviez entendue me parler de lui !

— Au début du mois, Monique m'a montré qu'elle était vraiment en amour, et pas seulement avec le bel Italien, mais avec la place. Elle voulait s'installer ici avec lui.

— C'est vrai ?

— Absolument. Elle était allée voir pour un job au journal de Portland. On lui avait pas dit « non » ! Ça l'emballait. Elle vient de la mer, du Nouveau-Brunswick. Elle est venue ici en automne, au printemps aussi. Elle revenait et disait : « C'est encore plus beau sans les touristes. »

— Et il y avait le jeune cuisinier amoureux ?

— Antonio, lui, voulait pas rester ici. Son père revient bientôt s'installer et il le déteste.

— Je suis au courant. Danielle Palazzio, est-ce qu'elle encourageait Antonio à monter s'installer à Montréal, elle ?

— Ça m'étonnerait ! Il y a son cher amant secret !

Je la connais, notre duchesse, c'est ni oui, ni non. Drôle de fille, elle rigole, elle flirte, elle joue la fille libre et tout à coup, le téléphone sonne et elle disparaît. L'homme marié la « sonnait » comme on sonne une domestique. Chaque fois, elle accourt.

Asselin s'assoit près d'elle, ankylosé d'être accroupi :

— Je dois vous dire certaines choses parce que j'ai besoin de vous. Il y a eu une querelle terrible jeudi matin, sur le Marginal Way, entre Danielle et le fils Basani. Il y a eu aussi une autre dispute fracassante, la veille, mercredi soir, entre Léopold Corbo et Danielle. Alors, d'après vous, Danielle est partie avec Corbo ou avec Antonio-sur-une-moto ?

Mariette se brosse les cheveux, hausse les épaules, encourage de saluts véhéments un véliplanchiste près du rivage. Elle rit :

— C'est compliqué, les filles, hein ?

— Pas vous. Vous me paraissez une fille toute simple, bien dans sa peau.

— Ah ! Jean vous a parlé de moi, c'est ça ?

— Non, c'est l'opinion de votre amie Monique.

— Je me suis déjà cassé la tête. C'est le passé. Je vivais pour essayer de guérir un raté, ça a pas fonctionné. Maintenant, je sais prendre la vie du bon côté.

Asselin n'a pas le temps de s'intéresser à elle. Il se creuse les méninges. Comment ramener vite la fille d'un sous-ministre ? Il lui tire sa révérence et marche vers le *Norseman*. Soudain, il s'arrête et revient vers elle qui a la bouche pleine de morceaux de mandarine :

— Une dernière question. C'est délicat : Danielle, est-ce que la drogue l'intéressait ?

— Bah ! Dans le temps de *La Promenade*, tout le monde avait son petit « pot » pas loin. Certains fonctionnaient au hasch et c'est Mastano qui fournissait, bien entendu. Danielle comme Monique, comme moi-même, notre nouveau bag, c'est la santé. On veut vivre vieilles, en santé, pis belles ! Longtemps !

Son grand rire, le vent fait de ses cheveux une sorte de cornette de religieuse, ils sont presque blancs dans la lumière vive et Charles l'imagine très bien vieille et encore belle. Il reprend congé.

Il l'entend dire en riant :

— Mautadit que nous autres, les blondes, on grille pas vite !

21

En marchant vers son motel, le détective se convainc qu'il est grand temps, si on l'autorise là-haut, de s'associer franchement aux forces de police du Maine. Il se demande s'il ferait bien de contacter personnellement le père de Danielle Palazzio. Il s'achète un long sous-marin garni d'un peu de tout, et une eau gazeuse à un des comptoirs ouverts sur la plage. Un grand nuage isolé couvre le soleil. Mariette doit rager ! Il frissonne un instant.

Au téléphone, ce matin, on lui a répété qu'il n'y avait personne à l'appartement de la jeune disparue. Il ne se voit pas fouinant dans toutes les baies à touristes du Rhode Island jusqu'au Nouveau-Brunswick.

Dans le grand hall du *Norseman*, deux hommes l'attendent. Ils s'identifient et Asselin comprend aussitôt qu'il n'aura pas à décider d'appeler à l'aide la garde nationale de l'État.

22

Plus tôt, pendant qu'Asselin marchait aux côtés de Monique Gallant, quelques touristes poussaient soudainement des hauts cris ! Perkins Cove n'est pas très fréquenté le matin. Le premier qui a vu, un garçon d'une dizaine d'années, a eu un cri d'effroi. Ses parents l'appelaient pour qu'il vienne sur le pont-levis au-dessus de la crique, mais le garçon semble pétrifié et il pointe du doigt la coque d'un des bateaux à promener en haute mer les visiteurs. Le père du garçon court vers lui. D'autres touristes entourent rapidement le gamin. Dans l'eau, il y a le corps d'une jeune fille aux cheveux emmêlés d'algues. Des cris fusent de partout. Un vieux pilote sort d'une cabine minuscule et se penche au-dessus de sa barque, il aperçoit la jeune noyée, elle flotte sur le ventre et les gens de l'attroupement peuvent lire sur son coupe-vent marron : RADIO-QUÉBEC. Quelqu'un court vers une cabine téléphonique pour appeler de toute urgence la police du lieu.

23

Sur un des divans du hall, Asselin a écouté le récit des deux inspecteurs. Alertés par la police municipale, ils ont communiqué avec le Québec. Ils ont appris la recherche de l'inspecteur Asselin. Maintenant, on lui demande s'il désire aller à la morgue identifier à son tour le corps d'une certaine Danielle Palazzio, de Montréal.

Asselin est stupéfait et, à la fois, habité d'un sentiment qu'il connaît bien : il est débarrassé subitement d'une recherche qui piétinait. Il songe à la douleur du père qu'on a mis sans doute déjà au courant. Il leur exhibe la photo de l'ex-duchesse, devenue scripte à la télé publique de la rue Fullum. Il s'informe : « La mort remonterait à quand ? », la question classique. On lui dit que l'analyse est en cours. Qu'il faut attendre encore un peu.

Asselin invite ses collègues américains au numéro 46. Il explique qu'il a besoin de prendre des directives du « grand patron », Dubreuil. Au Québec, c'est l'émoi, évidemment, le scandale qui menace, une certaine panique. Dubreuil lui apprend que des photos sont publiées à la une du journal *La Presse*, y figurent Bucher, Corbo, Mastano encore une fois, des musiciens, un sculpteur plutôt inconnu, un dénommé Charron. Et aussi Danielle Palazzio, hélas ! Très méchant samedi matin pour le haut fonctionnaire. L'article n'accuse personne, ça parle vaguement d'un réseau possible. Enfin, Asselin se fait dire de rester là et d'essayer de collaborer le mieux possible avec les Américains.

Il se demande à quel secours il peut servir. Il imagine tout bêtement le jeune cuisinier qui assomme Danielle, qui la jette à la mer de la falaise rocheuse un certain jeudi matin très tôt. Une hypothèse qui serait si simple. Mais il y a la photo de Danielle dans le journal de ce matin ! Alors il songe à ce pauvre Brigadier cherchant Danielle sur une moto rouge, accrochée à son bel Italien, et se dit que l'adjoint avait raison de penser « réseau ».

C'est l'inspecteur Dick Maynard qui est officiellement chargé de l'enquête, il lui parle de ses parents émigrant de Sherbrooke à Sanford, en haut de Wells, dans les années 50. Ses parents parlent français, lui, il le baragouine avec honte : « You speak so well french up there », souligne-t-il. Maynard et son adjoint ayant refusé farouchement de cet apéritif d'un jaune étrange, Asselin ouvre sa canette d'eau gazeuse, croque une bouchée de son sous-marin et raconte ce qu'il sait, ce qu'il croit savoir après que Maynard lui ait demandé : « *Well ! Tell us what you learn about that young girl. How it is going ?* »

Asselin mâchouille, avale, parle. Il raconte Danielle, le film unique, le gérant et propriétaire d'un café-terrasse. Maynard prend des notes et Asselin farfouille son anglais rudimentaire. Défilent les filles du chalet loué, la famille Basani, Bucher et sa bande à Drake Island.

Maynard lui dit que toute la bande a été expédiée au Québec. Asselin parle du professeur-directeur Corbo, du voisin, le retraité Dubois, et, enfin, de son adjoint parti à la recherche d'une moto rouge et d'une infirmière de Biddeford, amie d'enfance du jeune « chef » de la *Casa*, Lise Day, native de Saco.

Dick Maynard annonce, se préparant à quitter le motel, qu'il y aura avis de recherche générale pour Antonio Basani. Que ça ne va pas traîner et qu'il compte sur Asselin pour lui fournir tout renseignement nouveau. *Shake hands* de part et d'autre. Asselin va finir son sous-marin sur la terrasse. La mer lui semble plus proche maintenant d'une vieille chanson de Félix Leclerc : « un gouffre sans fond qui avale filles et garçons par les matins trop clairs ». La mer lui semble soudain moins innocente, moins invitante.

Il s'allonge dans la chaise bardée de lanières blanches et bleues. Le voilà libre, le voilà associé de force à toute une machine de police bien organisée, puisqu'on lui dit que le FBI et la GRC sont mêlés désormais à l'enquête Mastano. Il se rend compte qu'il a oublié de montrer le t-shirt ramassé sur le Marginal Way. Se pourrait-il que le fils Basani soit aussi dans le réseau Mastano, jongle-t-il ?

Le téléphone résonne. C'est le patron de Dick Maynard. Asselin écoute la voix anonyme, froide, qui précise, à propos de la noyée retrouvée dans la crique : Danielle a été transpercée dans le dos par la lame d'un large couteau domestique ! La mort remonterait à jeudi soir.

— Vous voulez dire jeudi matin, interrompt Asselin qui songe au matin de la querelle.

— *No sir, Thursday night !*

La voix répète encore : « Jeudi soir, entre huit heures et onze heures. »

Alors, Charles, d'un geste instinctif, chasse l'idée d'un crime passionnel commis tôt jeudi sur le Marginal Way. Il y arrive mal. Il ne sait pourquoi.

Il tente de se secouer, il marche, tourne en rond dans sa chambre, il a la conviction que marcher le réactive. Il se dit qu'il devrait vite aller vérifier si un couteau ne manque pas aux outils habituels du cuisinier Antonio. Il se ravise en songeant que la police du Maine doit y être et compter les couteaux sous le regard horrifié de la mère Angela. Il imagine la photo du jeune « chef » reproduite électroniquement un peu partout sur le continent. Peut-être à l'étranger même, via Interpol. Il songe encore à ce pauvre Brigadier scrutant tous les carrefours de la 1-A et, au même moment, par la porte restée ouverte, il le voit sur la coursive du *Norseman* !

— Rien, patron ! Pas de moto rouge, nulle part ! Aucune avec l'Antonio dessus !

Brigadier joue l'enquêteur exténué et va s'écraser dans un fauteuil.

— Mais j'ai rencontré l'infirmière, on peut supposer que Tonio roule avec la duchesse ! Mais où ?

— Tenez-vous bien, Brigadier, j'ai du nouveau pour vous.

— La duchesse est rentrée au chalet ?

— Non. On vient de trouver son cadavre.

— Elle est morte ?

— Elle flottait sous le pont piétonnier à Perkins Cove.

— Oh merde ! Noyée naturelle, suicide ?

— Un coup de couteau dans le dos !

— C'est la pègre, chef ! C'est signé Mastano, ça !

— Un couteau de cuisine, Brigadier !

— Ah ! Antonio Basani ? Il est dans le réseau Mastano. C'est clair !

Asselin n'en revient jamais de cette hâte de conclure n'importe comment.

— Brigadier, est-ce que la pègre, comme vous dites, travaille avec un couteau de cuisine ? Ils fusillent et coulent, une pierre aux pieds, pensez pas ?

— En tous cas, chef, vite, faut revoir la mère Basani, d'accord ?

Asselin lui parle de Maynard, du FBI et de la GRC. Ce qui semble décevoir grandement l'adjoint qui se voyait enfin plongé au cœur d'une vaste affaire intercontinentale, mais seul avec Charles.

— Malgré tout, vous avez raison, il faudrait revoir le petit monde de la *Casa* Basani. Venez. Vous avez mangé ?

— Une pizza, sur le pouce, à Biddeford. Le volant en est tout collant et il y a de la sauce tomate-fromage sur votre siège.

24

La Buick rouge sort doucement du stationnement du motel *Norseman*.

— L'infirmière, Lise Day, est d'une nature ultraméfiante. J'ai quand même su que le fils Basani détestait à mort son vieux papa qui va réintégrer le foyer.

— Passez là-dessus, je suis au courant.

— Bon. Qui vous a dit ?

— Votre blonde, sur la plage. Et Monique aussi.

— Je vois. Savez-vous que le bel Italien parlait de s'installer chez nous et d'ouvrir un restaurant italien ?

— Avec l'argent d'une tante à lui de Granby. Oui, ça aussi, je suis au courant.

— Qu'est-ce que vous ne savez pas, merde ?

— On verra, continuez. Cette infirmière, amoureuse d'Antonio, je suppose ?

— Non. Pas du tout. Elle est mariée. Séparée. Elle a un vieil amant. Pratique, c'est un de ses riches patients. Elle doit guetter l'héritage, une seringue à la main.

Il ricane, les dents plus longues que jamais.

— Soyez sérieux, Brigadier. Qu'avez-vous appris encore ?

— Bien. La *Casa*, c'est seulement la deuxième saison. Avant, Angela se dévouait à son magasin d'antiquités.

— Madame Basani m'a dit que sa fille, l'infirme, s'en occupait.

— Oui. D'après la garde-malade, c'est un magasin de vieilles cochonneries, plein de petits bibelots à deux piastres. L'intéressant de l'affaire, le voici : la « mamma », pour garder son Antonio dans le village, lui a offert la place, il pourra la convertir en restaurant et en serait le patron !

— Savez-vous quand madame Basani lui a offert son magasin de brocante ?

— Ah ! Je pourrais pas dire, mais c'est tout récent, d'après Lise Day, Antonio lui a téléphoné vendredi matin, très excité. Paraît qu'il en déparlait. Il lui a demandé si elle voulait s'associer à lui, côté financement.

— Intéressant, ça, Brigadier !

— Il lui a dit qu'il allait en faire le plus beau et le meilleur *ristorante* de toute la région.

— Ambition normale !

— B'en, je vais vous dire, vous allez encore vous foutre de ma gueule, j'ai pensé à un Antonio qui touche une énorme prime après son coup et qui devient très ambitieux soudainement.

— Il serait un « bras », un exécuteur ?

— Pourquoi pas, patron ? Je dois vous dire qu'il est allé la voir, Lise Day, la belle infirmière, et savez-vous ce qu'elle m'a dit ?

— Parlez !

Asselin a toujours détesté ce style « fausse question ».

— Il lui a dit qu'il n'avait plus besoin de personne. Qu'il pouvait se débrouiller tout seul pour le restaurant. Catchez-vous mieux, à présent ? L'argent lui arrive d'où, hein ?

— Du calme. Premièrement, est-ce qu'elle lui aurait pas appris le vieil amant ?

— Oui. C'est vrai, et il l'a engueulée, l'a traitée de « putain ». Ça l'a fait rire.

— Quand est-il allé la voir ?

— Après son coup de fil. Hier midi, vendredi, à son appartement de Saco.

— Deuxièmement, mon petit Jean, un garçon qui est amoureux à la folie de Danielle Palazzio, c'est le témoignage de Mariette, et de Monique aussi, est-ce qu'il va accepter un « contrat » du réseau en question ? Assassiner son grand amour ?

Brigadier se tait. Il tambourine sur son volant, se mord la lèvre supérieure, prend un petit air de chien battu. Soudain :

— Oubliez pas, il y a l'homme marié dans le paysage, il fait d'une pierre deux coups : il obéit au « caïd » et il se venge d'une maîtresse qui a une autre liaison. O.K. ?

— Assez ! Repos, le jeune ! Vous m'embrouillez un peu les esprits. Corbo a sa photo dans *La Presse* d'aujourd'hui. Traversez la rue et allez acheter le journal à cette pharmacie du coin. Ouste !

Brigadier gare l'auto et exécute l'ordre. Asselin tente de retrouver ses esprits en effet plutôt embrouillés. L'achat d'une moto tout à coup l'assaille, par contre il conçoit que Tonio doit recevoir de bons gages, qu'une moto ne coûte pas une fortune. Brigadier se ramène, traversant la rue avec le journal grand ouvert sous ses yeux. Il continue de lire, debout, près de la Buick.

— Entrez, je vous en prie !

— Patron, vous voyez bien que j'ai raison. Ça parle d'une vaste patente, non ?

— On va à la *Casa*. Ensuite, visite au *pawn shop*, que tient cette Sophie. En route !

Il est déjà presque quatre heures de l'après-midi. Des nuages, venus soudainement d'on ne sait jamais où, garnissent le ciel d'Ogunquit. En arrivant à la *Casa Angela*, c'est la découverte d'une pancarte accrochée dans la porte, indiquant *CLOSED*.

Charles frappe doucement d'abord, puis Brigadier, de plus en plus fort. Personne ne vient ouvrir, l'endroit semble désert.

— On monte au logis, ils doivent tous y être, excepté l'Antonio évidemment. Au moment où Brigadier actionne la cloche, le jeune Pascal surgit derrière eux dans l'escalier, venant sans doute de cet appentis derrière le restaurant où l'on conserve des légumes et le vin.

— *Scram, all of you ! My mother is not there !*

Pourtant, Angela ouvre la porte d'entrée. Elle est méconnaissable, des cheveux dans le visage, les traits tirés, l'œil humide et rougi :

— Encore vous, qu'est-ce que vous me voulez ?

— Madame Basani, laissez-moi vous parler deux petites minutes.

— La police est dans mon restaurant et ils mettent tout à l'envers.

— Ils sont partis, mom !

Pascal sort de la cuisine avec un gros sandwich à la main.

— Ils disent qu'ils veulent attraper mon Tonio et moa jé sais rien de tout ce qu'il a pu faire. Sainte Vierge, aidez-moi !

— Madame Basani, nous travaillons pour la Sûreté du Québec, il faut nous aider si vous savez où on pourrait le trouver.

— Qu'est-ce que vous lui voulez, à mon grand garçon, tout l'monde ?

Elle se tire les cheveux, geint, va regarder dans les fenêtres du salon, piétine, rage.

— Qu'est-ce qu'il a pu faire de pas correct, lui, un enfant modèle ?

Elle va s'accroupir dans un gros fauteuil et Brigadier, étonnant, se penche pour lui tapoter doucement une épaule :

— Madame Angela, Antonio n'est accusé de rien encore, on voudrait seulement lui parler.

Asselin aussi se prend une voix compatissante :

— Il est recherché pour être questionné, rien de plus. Aidez-nous !

Brigadier a déjà changé de voix et lui demande carrément :

— Pouvez-vous nous dire si vous croyez qu'Antonio se droguait ?

— Quoi ? Bonne Vierge, Sainte Mère du Ciel ! Non ! Il n'aime que la nature, il fume pas même la cigarette ordinaire, mon Tonio.

Asselin constate que son « chauffeur » s'en tient à l'idée d'un vaste réseau de trafiquants. Il s'approche de la mère et se décide à lui révéler :

— La situation est très grave, madame, on vient de retrouver mademoiselle Palazzio assassinée et jetée à la mer.

Angela cesse net de pleurnicher, elle se redresse et c'est l'indignation la plus farouche qu'ils peuvent lire dans son regard :

— Est-ce que le soupçon est sur mon fils ? Folie ! Mon Tonio est plus doux que l'agneau qui vient de sortir de sa mère, il aime trop les filles pour les tuer ! Folie ! Sortez d'ici, allez-vous-en ! Dehors !

Elle va entrouvrir la porte.

Asselin va vers Pascal qui est dans une des fenêtres :

— Pascal, savez-vous si la police a rapporté un couteau en partant ?

— Non, rien, ils ont remué tout et sont repartis les mains vides.

Angela sort en maugréant, dévale l'escalier de l'étage. Les deux inspecteurs la suivent, de loin, prudemment. Au restaurant, elle se dirige vers la cuisine et tente de remettre un peu d'ordre dans le fouillis indescriptible. Elle râle. Pascal s'assoit dans un coin de la *Casa*, hébété, songeur, son petit bonnet sur la tête. Quand Brigadier s'approche de lui, il éclate en sanglots.

— Tranquillisez-vous, Pascal, essayez d'imaginer où le grand frère peut être en ce moment. Ça aiderait tout le monde, lui surtout.

— Ils vont revenir, ils l'ont dit. Ils ont dit de tenir la *Casa* fermée toute la journée.

Asselin se dit qu'ils vont en effet réapparaître avec des experts de toutes sortes, dont les preneurs d'empreintes digitales. Il va rejoindre Angela dans la cuisine, il voit, pendus à douze crochets, douze couteaux de formats divers.

— Madame Basani, il ne manque aucun couteau, vous êtes certaine ?

— Aucun, vous voyez bien, ils sont tous là !

Elle a allongé le bras.

— N'y touchez pas, ne touchez à rien, ça vaudra mieux.

Asselin est un peu surpris que l'on n'ait pas apposé les scellés sur la porte de la *Casa*. Il pousse tout doucement Angela hors de la cuisine. Elle prend une serviette de table pour s'essuyer les yeux, puis se mouche. Charles ouvre un à un des tiroirs sous des tables près des persiennes qui conduisent à la salle à manger. Rien. Aucun couteau. Brigadier vient lui chuchoter à l'oreille :

— On tue, on lave soigneusement l'arme du crime et on vient la suspendre avec les autres couteaux. Pensez pas, chef ?

Asselin lui jette un regard qui signifie : « évidemment ! »

Brigadier fait claquer ses doigts, se rapproche d'Angela :

— Avez-vous dit aux policiers que vous aviez un autre magasin ?

— Ah non ! Il faut pas énerver ma petite Sophia. Laissez tranquille cette pauvre enfant, Santa Maria ! Tonio a toujours été son protecteur, elle pourrait tomber raide morte avec toute cette histoire de fou.

— Vous avez bien raison, madame, et on va s'en aller, mais, je vous en supplie, si votre fils revient, téléphonez-moi tout de suite.

Brigadier lui place dans la main une carte du *Norseman.*

— Votre garçon est sans doute innocent, madame, mais qu'il revienne vite !

Il sort rejoindre Asselin qui s'allume un cigarillo.

25

Brigadier s'installe au volant, se jette une palette de gomme rose sous les dents.

— Brigadier, vite ! Filons vers la sortie sud du village. Au magasin de brocante.

Il fait crisser les pneus, mais Asselin ne grimace pas, il cherche désespérément une orientation, noue et dénoue tout ce qu'il a su depuis son arrivée ici.

— Patron, je veux apprendre. Vous allez me dire si ça se tient. Regardez b'en ça : Mastano est capturé à Mirabel, mercredi. Un sbire de l'organisation en est témoin, qui bondit vers un téléphone. C'est l'alerte générale pour le clan. O.K. ? Il faut protéger les « chefs », un « parrain » peut-être. Faut faire taire les petits rouages. On se comprend ? Mastano s'est mis à table jeudi. Catastrophe ! On expédie Corbo à Ogunquit. Bucher aussi peut-être.

— Continuez, c'est intéressant.

— Je continue.

Son front est couvert de rides, il serre les dents, réfléchit.

— Regardez b'en ça, à c't'heure ! Les pushers importants sont énervés. On panique de haut en bas de la filière. Corbo sonde sa Danielle. Patate ! Elle se sauve au petit matin. Antonio, qui fait partie de la gamique, la rattrape jeudi de bonne heure sur le Marginal Way. Sondage numéro deux et encore le fiasco ! Jeudi soir, il a des ordres. Il frappe et, la nuit venue, on jette une duchesse saignante à la mer !

— Bien. Dites-moi, pourquoi tuer une « passeuse » ordinaire ?

— Une dette, peut-être, ça se voit souvent, ça.

— Brigadier, répondez pas à côté : pourquoi tuer une petite scripte qui, si elle en est, ignore tout des « patrons d'en haut » ?

Brigadier est bloqué. Sa jambe gauche remue sans cesse. Il se sait dans une impasse.

— Oui, je dois avouer que... oui...

— Vous avez entendu : Antonio ne fume même pas de cigarettes ordinaires.

— Bah, ça, c'est courant, « les mères », on sait ça. J'en ai connu des trafiquants qui fumaient pas, qui prenaient jamais un verre, des citoyens en or. Vous savez ça mieux que moi, boss !

— Brigadier, ce qui cloche dans votre récit, c'est que tout le monde a de l'importance. Tous : Corbo, ce serait un gros canon, Antonio aussi. Même la duchesse, puisqu'on l'a fait taire par meurtre, une naturaliste, une fille qui songe au *body building*, on nous l'a dit.

— J'efface ça, vous avez raison.

— Même Mastano n'est pas grand-chose puisqu'il s'est mis à table. Un « capo » dirige, mène, ce n'est pas un petit bavard ? On est d'accord ?

— Vous, c'est quoi votre version, patron ?

— Antonio aimait Danielle.

— Ah ! C'est tout ?

— Non. Monique aime Antonio.

— Facile : Corbo aime Danielle, Bucher aussi aime bien la duchesse ! Ça mène où ?

— Je sais pas. Pas encore.

Brigadier, qui espère tant « la grosse affaire », juge en lui-même que l'as Asselin n'a guère d'imagination. Il se dit que lorsqu'éclatera tout le réseau, Asselin se trouvera un petit amateur qui n'aura pas su renifler « le vaste réseau », la vraie « filière ».

— Brigadier, regardez ! Nous y sommes, le *The thing*, à votre gauche !

Brigadier sort de l'auto et enfile un énorme pullover d'un jaune flamboyant, d'une laine ébouriffée, mousseuse. Un grand chat sur le chemin l-A ! Son pantalon de cuir noir lui fait d'énormes bourrelets aux cuisses et à la taille. Asselin se dit qu'avant de partir, son « chauffeur » a vidé complètement sa garde-robe.

The thing est installé dans un antique bungalow qui paraît hanté, un peu sinistre. Un vieux tacot bleu royal est stationné plus loin sur une pelouse jaunie, mourante. Sur un grossier échafaudage de madriers dépeinturés, une affiche badigeonnée maladroitement clame : *SALE ! EVERYTHING MUST GET OUT !*

Asselin monte deux marches, pousse la porte d'entrée, une clochette orientale tintinnabule doucement. Dans une chaise haute à long dossier, derrière une montre vitrée ventrue, une jeune fille à la joue bourgogne a abaissé son roman-photos et les regarde.

Asselin s'en approche doucement, souriant, il remarque son dos déjà voûté un peu, presque bossu, une coupe de cheveux « afro », de beaux yeux d'un café sombre.

— Vous êtes Sophie Basani, n'est-ce pas ?

Brigadier s'est approché aussi :

— Nous sommes de Montréal, nous cherchons votre frère.

— Pascal ?

— Non, mademoiselle, Antonio.

— Ah ! Tout le monde le cherche aujourd'hui !

— Comment ça ?

— Le *State Police* est venu ici ce matin.

— Pour Antonio ?

— Oui. Je leur ai dit que Tonio ne venait jamais ici, qu'il avait bien assez à faire avec le restaurant.

— Nous sommes des policiers du Québec, mademoiselle. Vous pouvez nous aider, aider votre grand frère surtout.

Sophie a une voix grave pour ses vingt ans, un regard sévère, la maturité de beaucoup d'infirmes de naissance qui doivent lutter pour leur existence.

— Qu'est-ce qu'il a fait, Tony ? Les autres policiers sont repartis en vitesse !

Asselin cherche ce qu'il va lui révéler exactement, il lit une sorte de défi dans ses yeux.

— Avez-vous une idée où il peut être ?

— Depuis qu'il a des amoureuses tant qu'il en veut, je sais plus grand-chose de Tony. Je compte plus dans sa vie.

Sophie s'est comme jetée à bas du haut tabouret et elle va en boitillant légèrement vers la porte d'entrée du magasin. Dans l'un des comptoirs vitrés, à tablettes, sont exposées des médailles militaires, des montres à gousset, dans un autre, plein de bijoux variés, broches, breloques, colliers, pendentifs, bracelets.

— Nous devons rencontrer votre frère, le plus tôt serait le mieux.

Brigadier, avec sa grosse voix, menace :

— Vous pourriez avoir à regretter de ne pas nous avoir aidés.

— J'ai dit aux autres d'aller voir où il y a les

« vamps » du Québec, je vous dis la même chose à vous deux.

— Vous connaissez une brunette du nom de Danielle Palazzio ?

— Chaque été, mon frère en pique une du Québec et fait son numéro de Roméo en chaleur ! Elles se laissent prendre. Il est beau, Tonio !

Brigadier croit utile de garder le ton ferme :

— Répondez donc, Danielle Palazzio, ça vous dit rien ?

La jeune fille ouvre la porte toute grande :

— Danielle, Maryse, Josée, Luce, Monique, je les ai toutes connues, ces grandes enjôleuses. Ça me fait rire.

Elle rit à faux et, tout de suite, a repris un visage dur.

— Mademoiselle, Antonio est donc un véritable « don Juan » ?

— Des girouettes, ces *french girls from Montreal*. Qu'est-ce qui s'est passé ? Il en a violé une ?

Asselin décide d'y aller carrément :

— Pas un viol ! Un meurtre, mademoiselle Basani.

Sophie marche le plus rapidement qu'elle peut vers le fond de la boutique. Asselin la suit. Elle pose deux mains tremblotantes sur un comptoir plein d'albums et de timbres anciens.

— Antonio est trop mou et trop faible pour tuer quelqu'un ! Impossible !

— Danielle Palazzio a été trouvée morte dans la mer, ce matin même. On ne sait pas qui l'a tuée. Mais vous savez bien qu'elle était le grand amour de votre frère.

— Pouah ! Faux ! J'en ai entendu parler, elle sort avec un homme marié et elle se tient avec des rockers drogués de Drake.

— Votre frère peut nous aider à découvrir le meurtrier, vous comprenez ça ?

— Antonio n'a qu'un grand amour et c'est une fille d'ici, c'est Lise. Une infirmière qu'il connaît depuis toujours, c'est ça, la vérité !

Brigadier croit efficace de hausser encore le ton :

— J'ai rencontré cette fille. Elle sait pas du tout où se trouve Antonio.

— Ah ! Elle le cache ? Non ? Elle fait bien, sinon toutes ces filles en chaleur de Montréal vont finir par lui enlever Tony.

Asselin sourit, la véhémence de cette Sophie lui semble d'une candeur rare.

— Vous êtes une amie de cette infirmière, Lise ?

— Elle m'aide, me fait faire de la physio. C'est la fille qu'il faut pour Tony, ils allaient ensemble à l'école, au *high school.*

— Vous n'aimiez pas mademoiselle Palazzio ?

Asselin espère qu'elle admettra la bien connaître :

— Lise Day ne fait pas rêver Tony, elle lui monte pas la tête avec des grands projets de restaurant à Montréal.

Asselin sort sur le balcon. Suivi par Brigadier. Suivi, de loin, par la jeune infirme.

Asselin se retourne et elle s'arrête au milieu de ses panoplies de bricoles usagées, il prend sa voix la plus rassurante :

— Mademoiselle Basani, si votre frère vient vous rendre visite, prenez cette carte, je suis au *Norseman.* Téléphonez ou laissez un message. Je viendrai tout de suite. Ça lui évitera de gros ennuis peut-être.

— Non ! S'il vient, je le cacherai, je l'aiderai à se cacher !

Brigadier entre dans le magasin et va vers elle et lui crache rudement :

— Votre Roméo de grand frère est soupçonné d'un meurtre, Sophie Basani ! Ou il vient jaser avec nous ou il se fait questionner plus brutalement par la *State Police* et le FBI. Vous avez compris ?

Sophie recule en boitillant vers le fond de sa boutique. Brigadier fonce vers elle et ajoute d'un ton glacial :

— C'est dans tous les codes de loi : si vous obstruez la Justice, vous risquez la prison. Avec votre cher Tony. Clair, ça !

Il ne lui déplaît pas de jouer « l'eau froide » du couple classique d'enquêteurs. Sophie s'appuie à un solide porte-patères soutenant des tas de costumes militaires et de cirque.

Charles aussi entre et vient tenter encore de l'adoucir :

— N'ayez pas peur. Il se peut bien que votre frère soit innocent, ce qu'il y a, c'est qu'il se balade en moto et on ne sait pas de quel côté.

— Il m'a dit au téléphone, ce matin, que c'était sa dernière virée de jeunesse, qu'après il devra travailler à la transformation du magasin, ici. Ce sera un beau café-terrasse.

Elle a retrouvé un sourire mélangé de joie et de tristesse. Charles voit maintenant deux larmes qui perlent. Il regarde les babioles autour de lui, cherche quoi lui dire encore pour la réconforter. Brigadier est sorti et fume en faisant beaucoup de fumée. Asselin a toujours aimé les bric-à-brac, les brocanteurs amateurs. Il voit des lustres pendus au plafond entôlé, des collections de livres illustrés ouverts, montrant des images de vieux loups de mer. Des gravures religieuses garnissent un long pan de mur, sur une petite armoire bancale, un boîtier tapissé de velours bleu offre sa collection de couteaux à poignées de cuivre jaune. Il y accourt.

Un des couteaux manque et, dans l'ordre du dispositif, le plus long. Asselin se retient d'appeler Brigadier immédiatement.

— J'aime bien les vieux couteaux, Sophie. Venez voir, il en manque un !

Sophie vient regarder le coffre de velours. Elle ouvre la bouche, muette. Finit par dire :

— Je comprends pas ça. Je comprends pas.

Elle s'empare avec effort du boîtier exposé, referme l'ensemble et va le déposer sur un comptoir.

— Je cuisine un peu, j'aimerais vous acheter la collection, mais complète.

— Je peux pas voir comment ça se fait.

— Vous êtes certaine qu'il y avait toute la collection ?

— J'sais pas. Il m'semble. J'ai jamais remarqué.

Brigadier a entendu parler « couteaux ». Il est aux côtés de Charles, il trépigne et lance d'une voix qu'il veut très ferme :

— Je regrette, mademoiselle, mais on va avoir besoin du coffre.

Et il met le boîtier refermé sous son bras.

— Non, vous avez pas le droit ! Laissez ça ici !

Elle implore du regard Asselin qui lui dit doucement :

— Antonio a la clé du magasin ? Il peut entrer ici quand il veut ?

— Ça regarde personne, dites-lui de laisser le coffre ici.

Brigadier marche déjà vers le perron et dit :

— Quoi ? Vous allez appeler la police, mademoiselle ?

Asselin met une main sur l'épaule de la très jeune fille :

— On va vous signer un papier officiel, craignez rien, ça vous sera rendu plus tard.

Il appelle l'adjoint :

— Brigadier ? Vite, donnez un reçu officiel. On s'en va.

Le grand blond aux chaussures vernissées signe une consignation officielle. Il va retrouver Asselin dehors, mais il annonce à Sophie :

— Faut que vous sachiez que la victime a été poignardée avec un long couteau de cuisine. Dans le dos !

La jeune fille a blêmi. Elle éclate en sanglots. Asselin imagine facilement la détresse d'une Sophie songeant à un grand frère tant aimé qui a peut-être commis un crime affreux. Il revient vers elle, lui tapote les mains devenues glacées :

— Vous allez fermer ! On va vous ramener à la maison.

Il lui a parlé comme on parle à un grand malade. Sophie sort tout doucement, reniflante. Elle fait tourner une longue clé dans la serrure puis sort un petit mouchoir de son sac à main. Brigadier a mis la collection dans le coffre arrière de la Buick et s'installe au volant. Il a pris un air de limier qui touche la cible finale. Déjà, il prévoit la déconfiture des collègues américains qui, pourtant, sont passés à *The thing* et n'ont rien trouvé. Le voilà plein d'admiration pour Asselin, jugeant sa réputation fameuse bien justifiée. Le voilà tout fier de travailler avec lui et, comme pour le récompenser, il ne fait pas crisser les pneus cette fois.

26

À l'étage de la *Casa*, c'est une maman délirante d'angoisse qui ouvre les bras à sa petite Sophie en pleurs.

— C'est méchant ce que vous faites. Jé vous avais demandé de la laisser dans la paix tranquille.

Brigadier fait son annonce solennelle et péremptoire :

— Madame, il manque un couteau dans une collection de votre magasin. C'est bien regrettable ! Au revoir.

Mais il ne sort pas tout de suite, guettant une réaction incriminante.

Asselin est resté dans la voiture, il a jamais recherché les scènes déchirantes. Et les cris convulsifs d'Angela l'énervent. Brigadier soutient une Sophie en proie à une véritable crise nerveuse. Il l'aide à s'étendre sur le long divan du salon et il se décide à sortir, poursuivi par une mère révulsée, la bouche pleine d'imprécations confuses.

Asselin, pendant que Brigadier redescend l'escalier du logis, aperçoit par une des fenêtres du restaurant le jeune Pascal. Il lui fait un signe vague auquel ne répond pas le marmiton au regard plutôt exorbité. Ce dernier se sent plongé, entraîné malgré lui dans des événements qu'il parvient mal à concilier : ce père quasi inconnu qui reviendra bientôt, ce frère qu'on recherche, ce meurtre qui plane au-dessus de sa famille et, maintenant, cette sœur qu'on ramène à la maison, qui pleure comme une Madeleine. C'est beaucoup pour sa caboche d'enfant de seize ans, soumis, modeste, obéissant.

Ils roulent vers le poste de la *State Police* du Maine. Et vite.

— Chef, la gueule qu'ils vont faire tout à l'heure quand on va leur montrer le coffret à couteaux. Oh la la !

— Attention, Brigadier ! Sophie ne sait pas si la collection était complète !

— Foutaise, chef, elle braille pas comme ça pour rien. Elle a compris.

— Sophie est une enfant et une femme mature, les deux à la fois. Bizarre !

— En tout cas, il est « cuit », le petit chef de la *Casa*. C'est dans le sac !

— Attention, Brigadier : Sophie haïssait les Québécoises comme Danielle !

— M'sieur Asselin, vous soupçonneriez Sophie de quoi ? Elle a de la misère à se tenir debout. La voyez-vous jeter un corps à la mer ?

— Je réfléchis à haute voix, ne faites pas attention et allez moins vite un peu.

— Craignez pas, je peux faire deux choses à la fois, réfléchir et conduire en cow-boy. Je pense à un couteau dans un sac de moto rouge !

27

L'inspecteur Maynard a expédié aux laboratoires le boîtier et ses couteaux. Au poste, Asselin a pu constater que la photo d'Antonio Basani avait été diffusée partout, son signalement et celui de la moto qu'il venait de recevoir d'un petit garagiste qui l'avait récupérée d'un accident, et l'avait comme on dit « reconditionnée ». Antonio l'attendait, a-t-il aussi appris, depuis de longs mois.

— Pauvre petit Roméo, il n'ira pas loin maintenant.

— À moins qu'il se soit enfoui dans une de ces cachettes introuvables de la pègre. Avez-vous pensé à ça, Brigadier ?

— Ou bien il est rendu à Granby, au Québec, et se sert d'une bonne tante ou d'une vieille grand-mère pour se faire oublier.

Asselin se dit que s'il a tué la duchesse, il a échangé déjà la moto et a peut-être filé vers le Mexique dans un déguisement quelconque. En bus ou en train. Peut-être en avion. Si ce n'est dans une voiture louée sous un faux nom. La thèse « filière » a pris le dessus.

— Chef, c'est un fait que malgré les merveilles de l'électronique et tout, on parvient pas à résoudre un sacré pourcentage d'affaires criminelles. Ça vous décourage pas, des fois ?

Asselin ne dit rien, il n'a jamais été le genre

d'homme à faire trop de considérations sur l'état des machines justicières. Il s'en tient toujours au seul cas dans lequel il patauge.

— Maintenant, il faut annoncer aux deux amies de Danielle qu'elles ne la reverront plus jamais vivante, leur amie Danielle Palazzio.

— Laissez-moi ça ! J'irai leur communiquer ça. Ça vous laissera du temps pour vous concentrer, patron.

— Je tiens à voir leurs réactions. Celle de Monique Gallant en particulier.

— Vous m'intriguez, patron, vous soupçonnez pas Monique Gallant ?

— Brigadier, je soupçonne sans cesse tout le monde et puis j'élimine. Une méthode personnelle et simpliste, je vous l'avoue.

— Bon sang ! Vous soupçonneriez votre femme ? Votre mère ?

— Dans un certain contexte, pourquoi pas ?

Asselin n'ajoute rien, il songe à sa vieille mère, maintenant dans un lit d'hôpital, pleine de confusion, sénile. La dernière fois qu'il est allé la voir, c'était un tout petit corps, un visage tout ridé, celui d'une femme de 85 ans. Une petite fille sous des draps propres, un petit paquet d'os avec pas beaucoup de chair. Elle avait fondu peu à peu et paralysait lentement. Elle dormait, il n'avait pas voulu la réveiller. Il s'était assis en silence dans un fauteuil près de son lit et l'avait regardée dormir, forme toute menue. Une femme qu'il avait toujours connue dodue, replète, rieuse, d'un appétit insatiable pour tout. Mère poule si active, totalement dévouée à sa nombreuse nichée, à son mari devenu, en vieillissant, acariâtre et tatillon à propos de rien. Une mère du temps du dévouement perpétuel qu'on ne remet jamais en question durant toute une existence. Il aurait pu la soupçonner de quoi, bon Dieu ?

Revenant vers Ogunquit, Asselin a demandé à l'adjoint de longer les côtes. Il regarde se dérouler les paysages coquets le long de la mer, le pare-brise est un écran de cinéma. Pour sa mère, il y repense, il n'y a jamais eu de congés, de vacances véritables, de bord de mer aux brises merveilleuses. Une fois les enfants partis du logis natal, fini pour elle le petit chalet au bord du lac des Deux-Montagnes. Vendu ! Il n'y avait plus eu que les balcons en ville, celui de la rue Saint-Denis, le matin, celui de la cour arrière l'après-midi, pour sentir sur sa vieille peau quelques rayons de soleil venus d'entre les hangars de la ruelle.

Asselin se sort de sa torpeur, s'allume un cigarillo. On approche de Wells, la mort de la jeune scripte de Radio-Québec l'empêche d'apprécier vraiment la beauté des lieux. Il songe qu'il était parti pour une toute petite mission sans grande importance, un peu contrarié mais le cœur léger, ça le reposerait des affaires trop sordides à son gré, et voilà que la jeune personne à ramener chez elle a été trouvée trouée d'un coup de couteau et flottant à l'embouchure de la rivière Josiah, dans une crique à touristes. Le charme d'Ogunquit en est définitivement rompu.

Brigadier aussi est troublé de savoir qu'une ancienne copine de jeunesse s'est fait assassiner, mais quand la faim le tenaille, c'est un besoin impérieux.

— J'ai une faim qui me fait mal au ventre, patron !

Asselin est un peu surpris, il aurait cru que Jean Brigadier, désormais, n'aurait plus qu'une envie, démasquer très vite le coupable. Une volonté farouche, urgente, de faire coffrer l'assassin de sa camarade de *La Promenade*.

— Il y a chez *Lord's*, ici, à Wells, je m'en souviens, c'était parfait les homards. Même mon père en salivait, lui qui aimait pas grand-chose, qui s'emballait jamais pour rien.

— D'accord, mais en vitesse, hein !

— C'est sûr, vous allez voir toute une organisation si je m'en rappelle bien. Ça revole là-dedans.

Le temps froid amène davantage de clients dans les restaurants. *Lord's* est bourré à craquer. Asselin constate qu'en effet, ici, c'est le super-fast-service. On leur désigne une petite table près d'une large fenêtre et les homards s'amènent en un rien de temps. Ce petit port de Wells contraste avec celui de Perkins Cove. Il fait vrai, réel. Des hommes y travaillent, sales et harassés, nettoyant des barques, des barges, manœuvrant des outils marins. Il n'y a pas de ces boutiques recouvertes de bardeaux frais repeints. Une échoppe à poissons, aucune boutique aux inutilités excitantes. Rien que de l'utile, ici.

Asselin s'est jeté sur le crustacé et achève déjà d'en soutirer toute la chair délectable possible.

— Patron, manger m'active les neurones, je veux pas insister, mais regardez b'en ça : la duchesse était prise dans la patente Mastano. Hier soir, Mariette m'a confié que la Danielle menait un gros train de vie. Son film de fesses, ça fait longtemps que ça y rapportait plus un token. O. K. ? Un petit forfait, pis adieu ! Je l'avais su, ça. Bon. Le salaire d'une scripte, pas la fin du monde, Mariette m'a confirmé ça. Où prenait-elle son argent ? Pas par Corbo qui avait sa famille. Son père ? Mariette me l'a dit, c'est : « débrouille ma fille ». Un radin.

— Brigadier, le chalet ? Rien de trop luxueux !

Asselin travaille ferme à vider les pinces de son homard, tablier de vinyle blanc au cou.

— Écoute un peu, boss, j'aurais un seul conseil à donner, relaxons. L'affaire est entre bonnes mains et vous le savez bien. Ça dépasse la mission qu'on avait. Ça va grouiller des deux bords des frontières. Il nous reste à prendre un congé parfait jusqu'à mardi matin.

Brigadier a fait venir un deuxième homard et l'attaque. Asselin comprend que son adjoint se voit déjà batifolant sur la plage auprès de sa nouvelle « blonde », Mariette. Se baigner, aller danser. La belle vie aux frais du contribuable, quoi !

En effet, Brigadier s'est revu rue Parthenais, petits boulots de pion, vérifications ennuyeuses, la routine. La bouche pleine d'un abondant roulé au crabe qu'il a commandé tantôt, il tente d'articuler :

— Pis il y a qu'on pourrait les embarrasser, le FBI, la GRC, si on colle là-dessus. Je dis pas vrai, là ?

Asselin se lave les mains dans le plat d'eau et citron :

— Bon. Je vais vous dire : je suis sans doute un vieux toqué, mais je ne serai pas tranquille si je découvre pas le meurtrier de Danielle Palazzio, et, si possible, avant les experts patentés même ! Je regrette, mon jeune ami, je suis bâti comme ça et à mon âge, comme on dit, on se refait pas.

— C'est pas sérieux ? On va nuire.

— Traitez-moi de maniaque, de débile, je continue de fouiller.

— Comme vous voulez. Je vous préviens, moi, je débarque ! Comptez plus sur moi.

Asselin se retient de rire et bouffe une salade de fraîche laitue aux tomates. Il avait bien compris la manœuvre de son « chauffeur ». Se débarrasser de lui et pouvoir aller peaufiner sa conquête de la script-girl du canal 2.

— Entendu, Brigadier. Vous allez où vous voulez, vous faites ce que bon vous semble, vous êtes libre. Satisfait ? Je continue en solitaire.

Maintenant, Brigadier découvrait un mépris certain à son endroit. L'inspecteur avait consenti trop vite, et il en était humilié.

— Dites-moi le donc en pleine face : je suis un zéro à vos yeux ? Vous avez aucune confiance en moi ? Dites-le franchement !

La volte-face inattendue manque de le faire s'étouffer de plaisir.

— Bon, vous choisissez. Repos, ou bien vous irez téléphoner à Montréal pour m'apprendre les derniers développements de l'affaire Mastano. Ensuite vous allez confesser Angela Basani sur son fils, tout ce que vous pouvez savoir. Ses manies, ses habitudes, ses goûts, les lieux qu'il fréquente dans les environs. Sports, tout. Aussi les noms et numéros de téléphone de toute cette parenté québécoise du côté de Granby. Décidez !

Contrarié par ce programme chargé, mais du même coup rassuré côté confiance, Brigadier ne sait plus trop quoi dire.

— Et vous, patron, pendant ce temps-là ?

— Moi ? Je m'en vais tout de suite voir Mariette Lagadie et Monique Gallant. J'y aurai trois rôles : informateur de mort, consolateur et confesseur.

Brigadier achève sa bière et boude.

— Brigadier ? Dès mardi, vous retrouverez la jolie blonde Mariette, non ?

Brigadier sourit enfin :

— Ça faisait longtemps que j'avais un œil sur Mariette, vous savez pas ça, vous. Un gros pataud la suivait partout dans le temps, Charron.

— Elle est libre, maintenant ?

— Complètement. Et je peux vous dire que ce sera pas seulement du physique.

Asselin laisse payer Brigadier qui, comme il se doit, ramasse les additions, les entasse au fond de son portefeuille. En sortant de chez *Lord's*, Asselin lui donne une bourrade du coude dans l'estomac :

— C'est magnifique, l'amour, vous serez pas venu à Ogunquit pour rien.

— Oubliez ce que j'ai dit tantôt, je veux travailler avec vous.

28

La voiture est arrivée au village et Brigadier la gare dans la grande cour intérieure du *Norseman*. Asselin lui a dit qu'il a un besoin constant de marcher, qu'il irait au chalet, seul. À pied.

— Qu'est-ce que je dirai au téléphone si on reçoit l'ordre de laisser tomber ?

— Ne dites rien. Dites « très bien », c'est tout. Et allez vous dorer sur la plage.

Brigadier guette son regard, tente d'y déceler de l'ironie, mais n'y voit rien. Pour les coups de téléphone, il monte au 26, ensuite il devra aller interviewer Angela.

Au carrefour des quatre chemins, Asselin retrouve une certaine animation, beaucoup de promeneurs, le nez au vent, il revoit le babillard public, le square minuscule, la fontaine, le banc où il lisait le journal. Il approche quatre heures déjà. Il dirige ses pas vers le sud dans Shore Road. Il remue les faits, les propos entendus. À son habitude, il tente plusieurs façons d'assembler son casse-tête. Il a cette sorte de conviction d'ordre intuitif que ce meurtre n'est pas lié à la drogue Mastano. Il se méfie pourtant toujours de ses intuitions. Il sasse. Il scrute. Un geste de Sophie, une parole de Monique Gallant, une phrase d'Angela Basani. Rien ne colle, rien ne se fige définitivement. Il se dit qu'il y a des couteaux dans tous les motels. Dans tous les chalets aussi.

Il aperçoit, sur la galerie de sa *mansion*, le retraité aux jumelles. Il revoit l'image d'un Antonio frappant Danielle, jeudi matin. Monsieur Dubois se berce avec deux autres dames âgées, aux chevelures d'un blanc lumineux. Dès qu'il reconnaît Asselin, il bondit :

— M'sieur, m'sieur Asselin ! Venez, venez ! Je vous offre un verre.

Le vieux à la casquette lui fait de grands gestes amicaux, comme on ferait en découvrant un parent, un ami de longue date.

Charles s'approche un peu du *Merrymoore*, les vieilles de la galerie lui adressent des sourires aimables, il remarque leurs toilettes soignées. Elles grignotent des biscuits fins et boivent du thé. L'image fait très « vieille Angleterre ». Le plancher d'un vert tendre luit de propreté extrême.

— Je n'ai pas beaucoup de temps, m'sieur Dubois, je regrette.

— Oui, je comprends. Vous allez chez les demoiselles ? Je comprends.

— Vous comprenez quoi ?

Monsieur Dubois vient rejoindre Asselin dans le petit parterre fleuri :

— Comme beaucoup de Québécois ici, je viens d'apprendre l'horrible meurtre. Elle était si jolie, si naturelle. Et bien tournée ! J'ai encore l'œil.

Asselin l'imagine faire un examen avec ses jumelles.

— C'était à prévoir, je suppose. Ce monde de la drogue est un enfer !

— Qui vous a parlé de drogues à son propos, m'sieur Dubois ?

— C'est la rumeur par ici, rien de plus.

Son verre, de *bloody virgin* sans doute, à la main, Dubois prend une mine déconfite :

— Ce midi, à la radio, à la télé, les actualités ont parlé d'une jeune Montréalaise tuée et trouvée noyée dans l'anse. C'est toute notre réputation qui traîne dans cette boue, vous croyez pas ? Entre nous, m'sieur Asselin, elle n'était déjà pas très bonne. Mais oui, mes charmantes compagnes en parlent à l'occasion. On nous juge bruyants, pas très propres, ni très courtois. Tenez, un exemple, ce matin, au petit déjeuner chez Barbara Dean, pas très loin d'ici, un endroit tenu de façon impeccable, deux femmes du Québec se sont présentées en maillot de bain ! Vous vous rendez compte ? Il y a des traditions ici, en Nouvelle Angleterre, on doit s'y conformer.

— M'sieur Dubois, pour la drogue, vous savez rien de précis ?

— Bah, j'ai lu *La Presse* ce midi. J'ai fait le rapport.

— Je suis pressé, vous allez m'excuser.

— Attendez un instant, m'sieur l'inspecteur.

Dubois regarde autour et devient un peu plus agité.

— Je vous ai menti sur le Marginal Way. Je préfère vous le dire, j'ai été mêlé dans une affaire de fraude. Très grave. J'ai fait de la prison. J'y ai attrapé ma maladie, le cœur ! J'étais pas gérant de banque, j'étais comptable et assistant-gérant. Un jour, un avocat, très très connu à Montréal, est venu me consulter, le gérant était en congé de maladie... Je ne vous raconte pas le reste. Je me suis laissé entraîner dans une spirale : vol, détournement de fonds, incendies, faillite frauduleuse. Bon, c'est le passé.

Il paraissait soulagé de sa confession.

— Pourquoi me raconter ce passé ?

— Parce que je connais vos méthodes. Vous avez vérifié mon identité en haut lieu, je gagerais !

— Non, pas du tout.

Asselin se dit qu'il a eu tort de ne pas y penser et déjà se promet d'y voir. Ce Adrien Dubois pourrait-il être un voisin téléguidé du chalet où logeait la duchesse ? Il est ainsi fait : tout le monde, a priori, mérite d'être suspecté. Au cas où...

— Au revoir, monsieur Dubois.

— Autant tout vous dire, ce Marcel Mastano était dans « la grande famille » de mon avocat véreux bien connu et qui est décédé aujourd'hui.

— Au revoir, monsieur Dubois.

Dubois reste là, immobile, presque surpris de ne pas être questionné plus avant au sujet de ce qu'il vient de lui révéler. Asselin marche rapidement dans la petite rue derrière le *Lemon Tree*, il va téléphoner à Brigadier pour avoir tout le data possible sur le retraité cardiaque, Dubois. Soudain, il sent quelqu'un qui accourt derrière lui, il se retourne et c'est encore le moustachu :

— Excusez-moi encore, un soir, il y a une semaine de ça, j'ai vu cette demoiselle Palazzio qui rentrait chez elle. Elle caracolait de façon étrange, riait sans raison apparente. Elle était dans un état bizarre. Une fois rentrée au chalet, j'ai entendu des cris, des plaintes et puis des pleurs, des gémissements. J'avais trouvé ça curieux, je m'étais caché, on m'a découvert et je suppose qu'on a cru à un voyeur. Je tenais à vous raconter ça.

— Le frisé dont vous m'avez parlé, qui battait Danielle Palazzio, si je vous montrais une photo, vous le reconnaîtriez ?

— Possible, peut-être que oui.

Asselin lui montre une des photos publiées partout maintenant. Antonio, la toque blanche coupée en deux par le cadrage de la photo, semblait un matelot en congé, souriant volontiers au photographe. Une copie un peu embrouillée de la photo du mur de la *Casa*.

— Oui, je crois bien que c'est mon frisé de jeudi matin ! Je vous le répète, essayez de m'éviter de témoigner là-dedans. Vous comprenez mieux pourquoi maintenant.

— C'est entendu. Au revoir.

Asselin marche lentement, il réfléchit, pourquoi « un émissaire du clan » aurait-il bavardé sur cette querelle du jeudi matin ? Il se répond : « Pour brouiller les pistes peut-être, jeter les soupçons sur cette tierce personne ? » Il est embêté à fond cette fois. Il se croit seul lorsqu'il entend encore la voix de Dubois :

— Il n'y a plus que la blonde là-dedans. Oui ! L'autre, la noironne, elle vient de quitter avec tous ses bagages, dans la Datsun.

Asselin le voit, semblant s'excuser de ce supplément d'informations non sollicitées. Dubois le salue d'un geste et s'en va vraiment.

29

C'est la blonde Mariette qui lui ouvre la porte, elle est seule en effet. Elle avait appris la découverte du corps de Danielle sous le pont-levis ce matin. Quand Charles lui parle de la recherchiste Monique, elle s'exclame :

— Je sais pas ce qui lui a pris. Elle a piqué une crise terrible, ma pauvre Monique. Une réaction curieuse, vu qu'elle la détestait tant de lui avoir enlevé son beau Tonio. Je sais pas. C'est son auto. J'ai essayé de la raisonner. Rien à faire. Elle voulait s'en aller tout de suite. Dans son état de surexcitation, je me demande si j'ai bien fait de la laisser remonter toute seule comme ça. Je suis inquiète.

— Avez-vous eu de la visite des policiers d'ici ?

— Oui. Ils ont fait très vite, Monique devenait hystérique. Ils ont emporté tout ce qui appartenait à Danielle et qu'elle n'avait pas traîné chez Bucher, chez Popol en fait.

Asselin accepte une limonade. Il va s'asseoir dehors sur le canapé de rotin. Mariette le suit avec une bière et des cachous.

— Pourquoi tant d'énervement chez Monique Gallant, d'après vous, mademoiselle ?

— Monique est ultra-sensible, vous savez. Je vois pas autre chose.

Asselin imagine évidemment qu'au retour, il y aura Mariette dans leur Buick. Son esprit tente de récapituler des faits concernant les Basani.

— Mademoiselle Lagadie, connaissez-vous Sophie, la sœur d'Antonio ?

— Je l'ai aperçue deux ou trois fois à la *Casa*, elle mangeait. Du temps de ses amours, Monique la voyait souvent. C'est une infirme.

— Oui, je sais. Vous êtes déjà allée au vieux magasin ?

— Non. Moi, les vieilleries, le patrimoine, c'est pas mon bag. Chez moi, c'est l'ultra-moderne. L'art déco, l'art 1900, ça me gèle.

— Monique, elle aimait bien les vieilleries, elle ?

— Pas du tout, est comme moi, mais, à cause de son cher Tonio, elle tentait de séduire toute la famille. C'en était rendu qu'un temps on mangeait là tous les soirs ! Les mets italiens commençaient à me sortir par les oreilles, je vous le dis.

— Ça marchait ? Je veux dire « sa » séduction sur les Basani ?

— Elle en était à vouloir aider Tonio à la cuisine durant les rush ! Vous rendez-vous compte ? Pauvre Monique, la mère Basani la blairait pas. Elle se méfiait de toutes les Québécoises. Lui enlever son grand garçon, vous comprenez ? C'est une mère poule.

— Avec Sophie, ça marchait mieux ?

— Ah non, c'était pire encore ! Antonio m'a semblé être une sorte de grand frère protecteur de l'infirme, ça fait que Sophie détestait une fille qui pourrait attirer au Québec son « deuxième père ». J'ai vu minauder Monique, ça en faisait pitié, et la Sophie vous la revirait. De la glace ! Pauvre Monique ! Quand la duchesse lui a enlevé son Tonio, Monique est allée brailler dans les bras de la maman, me croyez-vous ?

— Vous étiez là ?

— Oui, et plutôt mal à l'aise ! La mère est restée fermée comme une huître. Son Antonio n'appartenait qu'à elle, « la mamma » !

Charles a un flash morbide, Angela Basani avec un grand couteau, elle frappe Danielle Palazzio dans le dos, cette voleuse du fils !

— Pour Angela, pas une fille, surtout pas une fille de Montréal, ne valait son petit Antonio. Et l'autre, la duchesse qui voulait l'entraîner à ouvrir un restaurant à Montréal, imaginez les scènes.

— J'imagine.

Asselin chasse cette idée d'une mère qui tue. Mariette lui dit :

— C'est probable que Danielle et Tony lui cachaient ce projet. Elle serait devenue folle.

— Elle a su ! Maintenant, Angela offre son vieux magasin au fils. Il va pouvoir transformer la baraque en café-terrasse. Je vous l'apprends ?

— Ça m'étonne pas, Monique m'a dit qu'ils vendaient rien là-bas.

— Monique savait, pour ce projet de restaurant ?

— Je sais pas. Elle m'a jamais parlé de ça. J'y pense, là, tous les jeudis, Monique allait garder le vieux magasin. Sophie allait se faire soigner à Biddeford, sorte de physiothérapie, paraît.

Asselin sursaute.

Elle a dit « tous les jeudis » !

Son cerveau bouillonne subitement.

— Vous avez bien dit qu'elle gardait le *The thing* tous les jeudis ?

— Oui, soirs y compris. Jusqu'à neuf heures du soir ! J'en profitais pour faire le nettoyage du chalet, des petits lavages.

Asselin s'est levé, comme mû par un ressort. Le soleil réapparaît.

— Youpi, le soleil ! Je vais aller sur la plage !

Elle s'est levée et a enlevé son gros gilet de laine grise.

Asselin est étonné de cette bonne humeur.

— Danielle n'était pas vraiment votre amie, je présume.

— Non, pas vraiment. Danielle avait pas d'amie intime. Il y avait son confident, Dédé Bucher. Il y avait surtout cet amour secret. Je mettais son indifférence, sa froideur même, sur le fait qu'elle venait de la ville de Québec, qu'elle y avait été duchesse, qu'elle avait été une star momentanée, tout ça. P'is j'ai compris : une fille qui a un amant marié n'est pas libre de devenir l'intime de quelqu'un d'autre. Je respectais son genre fuyant. On savait pas grand-chose d'elle, au fond.

— Ainsi vous pourriez pas m'affirmer qu'elle ne se mêlait pas de trafic de narcotiques ?

Mariette, penchée, cueillait des pâquerettes. Elle se redresse et le regarde sans rien dire, puis hausse les épaules. Elle sait trop qu'il ne faut jamais dire un mot de trop en face d'un inspecteur de police. Par exemple, si elle lui révélait que son cher Jean Brigadier lui a dit, cette nuit même, qu'il cachait « de l'herbe très rare » à son condo, ce vieux bonhomme serait bien capable de suspecter son propre adjoint. Elle décide de se taire désormais.

Asselin l'aide à cueillir des pâquerettes dans ce pré minuscule du côté ouest du chalet. Mariette raconte :

— J'ai connu un décorateur de télé, bon garçon, toujours en farces, l'air sain, père de famille apparemment exemplaire. Il s'est tiré une balle dans un entrepôt de décors. Il était pédophile et s'était fait pincer. Un procès allait avoir lieu. On en revenait pas personne dans la « boîte » !

— Ça arrive, c'est vrai.

Asselin se demandait ce que recouvrait cette confidence : une Danielle mal prise ? une Monique Gallant enfermée dans un engrenage à pushers ? Cette Monique qui fuit qui ? quoi ? Les lieux de son crime ? Sa machine à suspicion déraperait un peu trop vite. Mariette entre avec son gros bouquet de « marguerites » sauvages. Asselin empêche la porte de faire son « clac » :

— C'était vraiment le grand amour de sa vie, Antonio ?

— Avec Danielle, comment savoir ? Il y avait son Popol.

— Je voulais parler de Monique Gallant.

Mariette n'a plus envie de parler, elle espère retrouver son grand Jean sur la plage :

— Vous avez donné congé à votre adjoint, monsieur Asselin ?

— Oui, en quelque sorte, oui. C'est terminé pour nous. L'affaire repose maintenant entre les mains des experts en narcotiques.

Il se demande si Brigadier fait bien son devoir, s'il est en train d'interviewer solidement Angela Basani.

— Au revoir, mademoiselle, et bon soleil !

— Je peux marcher avec vous jusqu'à la plage.

— Non merci, je suis pressé. Au revoir !

Il la regarde poser les fleurs dans un grand vase au milieu du patio. Elle entre. Il s'en va méditant tout.

Mariette est nue et jongle, son maillot de bain à la main. Elle se dit qu'elle a bien fait de se taire à un moment donné, de ne pas lui dire que Monique a éclaté en crise de nerfs et de larmes quand les policiers lui ont demandé si Danielle se droguait, se piquait ou sniffait de la coke ; qu'ils ont trouvé une petite malle, minuscule, dans un tiroir de commode de la chambre qui servait à la duchesse et qu'après ça, ils sont partis en vitesse comme s'ils avaient découvert un objet d'accusation explicite.

Elle a bien fait, se dit-elle, de ne pas paraître trop intéressée à Jean, l'inspecteur doit sans doute juger cette idylle naissante entre eux comme un manque d'éthique grave de la part de son adjoint. Elle avait commencé à l'aimer pour vrai, elle savait que ça allait être plus sérieux qu'elle l'aurait cru. Elle regrette un peu de n'avoir pas questionné Asselin sur son mépris évident pour Jean. Peut-être avait-il l'habitude de travailler seul, peut-être méprisait-il tout le monde...

Soudain, elle enfile vitement son maillot et se jette dehors, court rejoindre le détective :

— Il y a une chose que j'oubliais de vous dire.

Asselin, perdu dans ses réflexions, a sursauté en revoyant Mariette.

— Quoi donc ?

— Bien, voici, les inspecteurs américains nous ont demandé ce que nous faisions, où nous étions jeudi soir. J'ai répondu que j'étais allée manger au *White Barn* avec le chanteur Bucher et la bande.

— C'était vrai ?

— Oui. Mais, je sais pas pourquoi, Monique leur a dit qu'elle était avec moi au *White Barn* de Kennebunk.

— C'était faux ?

— Oui.

— Elle est allée garder le vieux magasin ? C'était jeudi, non ?

— Non. Je pense pas. Elle y allait plus depuis la rupture.

Asselin notait soigneusement ce mensonge de Monique Gallant, mais croit bon de rassurer une Mariette au visage crispé :

— Vous en faites pas, souvent des gens voulant s'éviter des complications, pour avoir la paix, quoi, mentent sans arrière-pensée. Croyez-en ma longue expérience, oubliez ça.

Mariette retourne au chalet lentement, elle y prendra son sac de plage, le gréement habituel des amateurs de bronzage. Asselin poursuit son chemin, il téléphonera pour que l'on fasse suivre cette menteuse, Monique Gallant, qui devrait être rendue à Montréal à l'heure du souper. Il se demande pourquoi Brigadier ne lui a pas parlé des « jeudis » de cette Monique. Il ignorait le fait, peut-être ?

Sur sa galerie, monsieur Dubois se lève encore et demande :

— Ça va, oui ? Vous avancez ? Rien de neuf ?

— Rien de neuf.

— Une bonne tasse de thé, m'sieur Asselin ? Ils le font extra ici !

— Trop aimable, merci. Une autre fois peut-être.

— Bonne chance dans votre enquête ! Surtout, n'oubliez pas votre promesse.

Dubois descend le petit escalier et vient lui murmurer :

— Je suis un grand nerveux, depuis mon histoire, je dois prendre des calmants. Des somnifères aussi. Ne me mêlez à rien de tout ceci.

— Soyez tranquillisé. Au revoir !

30

Au carrefour des routes, quelques promeneurs, jeunes couples, jeunes familles, quelques solitaires. Toujours le pas tranquille des vacanciers hors du temps ordinaire. Devant le motel *Aspinquid*, une limousine s'arrête, lui barrant le chemin, il en sort une femme d'un âge certain, perruque scintillante, des bijoux partout. Elle rit. Un tout jeune homme, boucle d'oreille dorée, s'étire les bras paresseusement devant son volant de bois verni. La flamboyante dame lui susurre :

— *Don't move, my love ! I'll check. Just wait ! It would be not long !*

Asselin sourit de la scène, sait bien que, désormais, il faut de tout pour faire un monde. Devant le *King Edward* aux parterres de roses, une fillette en loques salies le frappe dans les reins et s'excuse aussitôt. Son ballon jaune roule dans la rue. Asselin le lui rapporte et l'enfant sourit, montrant des dents cassées.

Il arrive à son motel après s'être un peu attardé sur le pont de la rivière Ogunquit. Qu'il aime l'aspect ludique de ces lieux désaxés du fatidique pôle « métro-boulot-dodo » ! Il y a du « paradis terrestre » dans l'air, du farniente. Il rêve de s'installer à jamais dans un pays tropical. Il se sourit à lui-même, se sachant la victime du vieux rêve millénaire : l'éden retrouvé. Approchant du

Norseman, il n'a plus envie d'y entrer, de retrouver un Brigadier qui va lui résumer les derniers développements de l'affaire Mastano et lui faire le récit détaillé des us et coutumes d'Antonio Basani. Il regarde deux grands cerfs-volants grimpant par secousses dans le firmament au-dessus de la plage à ses pieds. Il retarde ce moment où il dira à son « chauffeur » : « Pis ? Les dernières nouvelles du bureau-chef ? »

Oui, le poète populaire a toujours raison : « la mer... a des reflets d'argent »... et « ses moutons blancs ». Il observe le tango lancinant des rouleaux qui s'évanouissent inlassablement dans le sable du rivage. Ces beautés le rendent tout léger, joyeux. Il ne se rassasie jamais de cette gamme d'ocres, d'ors, de turquoises. Vieille vision surannée, exploitée par tant de chansons, de films, d'images peintes et qui fait accourir chaque été ces milliers et ces milliers de « pèlerins de la mer ». Soudain, étonné, il découvre un Brigadier, maillot vert pomme, le nez au vent, un cornet de frites à la main. Il va à sa rencontre :

— Alors, Brigadier, des résultats ?

Brigadier recrache une frite et le foudroie du regard :

— Les nouvelles ? C'est l'ordre de rentrer ! Et je suis pas allé confesser la vieille de la *Casa*. Je suis pas journaliste, moi.

— Brigadier, il faut l'être, le devenir, ça vous sera utile. J'aurais fait un bon journaliste et je peux vous dire que tous les bons interviewers auraient pu faire d'excellents inspecteurs de police.

— Vous m'enseignerez ça un de ces jours, boss.

— On se reverra sans doute jamais plus, mon ami. Il fallait savoir si Antonio joue aux quilles ou au golf. Au tennis, au squash ? Il fallait savoir s'il boit. Où il boit. S'il aime jouer aux cartes à l'argent. Avec qui il joue. Vous comprenez l'utilité de ces interviews ?

— Pensez-vous qu'Angela avait envie de me parler ?

— Non, et je sais pourquoi. Vous êtes dur et fermé. Brigadier, écoutez-moi bien, dans ce métier, pour réussir, il faut de la compassion. Vous savez ce que c'est ? C'est une pitié ordinaire, commune, de la sympathie pour tout le monde. Pour les suspects aussi. Je crains que vous restiez un « adjoint » toute votre carrière.

Brigadier jette toutes ses frites dans un panier :

— J'en ai assez, monsieur ! On nous le commande : repos ! Ouow les moteurs ! Vous m'avez classé aussitôt que vous m'avez vu. Je suis un grand cave, un con, un arriéré mental. Dites-le donc.

Brigadier devient méconnaissable. Il a un regard furieux :

— Oui, oui, je suis rien qu'un playboy, c'est ça, hein ? Un grand « frais chié » qui devrait aller travailler dans une boutique de prêt-à-porter. Osez donc me le dire une bonne fois.

— Brigadier, calmez-vous un peu. C'est l'effet du soleil ou de la mer trop froide ?

— Non, monsieur le grand expert ! C'est l'effet du coup de fil du grand patron, j'avais raison sur toute la ligne, je regrette.

— Je vous écoute, Jean.

— Continuez à m'appeler Brigadier avec hauteur et dédain. Le chanteur Bucher, lui aussi, vide son sac. On a arrêté le prof Corbo aussitôt qu'il est arrivé à la frontière canadienne. Ça vous en bouche un coin ? Il s'agit de tout un réseau, la filière complète craque, j'avais raison.

— Bravo, bravo !

— J'ai pas fini : Corbo était en mission ici. Il devait

cacher un gros stock, pas de la mari, ni du hasch. De la coke ! À la tête de la « compagnie », quelqu'un avait décidé qu'il fallait utiliser la fille d'un sous-ministre, la maîtresse du Popol en question. C'est-y assez fort, ça ?

Brigadier manque de s'étouffer et crache sa gomme à mâcher, il a le ton du triomphateur lyrique.

— J'ai hâte que vous me disiez, Jean, qui est allé décrocher le couteau du coffret bleu pour aller tuer la duchesse.

— Niaisez-moi pas trop ! Apprenez que Bucher a raconté que Corbo a paniqué devant le refus de sa petite Danielle pour le camouflage de la dope, c'est pas tout, Corbo a paniqué raide quand la duchesse a menacé d'aller parler à la police. C'est clair ? On l'a fait taire à jamais.

— Oui. Mais ça répond pas à ma question : un couteau manque à la collection.

— C'est fini, chef ! Repos ! Le couteau a probablement toujours manqué à la collection. C'est justement pour ça qu'une petite vieille est venue, un jour, vendre son coffret au magasin des Basani. Repos ! Il fait beau soleil, allez donc mettre un maillot. C'est terminé pour nous deux !

Brigadier se calme enfin et lui offre distraitement de sa gomme rose. Machinalement, Asselin en prend. Surprise de l'adjoint. Asselin mâche. Il sent du soulagement chez son « chauffeur » qui s'est vidé le cœur.

— Relaxez maintenant, chef. Le FBI et la GRC s'activent. Il paraît qu'on ne recherche plus le bel Antonio et sa moto. La page est tournée. Si vous voulez, dès ce soir, vous retrouvez votre chère Rolande, et moi, j'amène danser ma blonde, à Montréal, dès demain.

Brigadier s'enlève du sable collé à ses longues cuisses musclées et tente de se calmer un peu.

— Je vais aller la chercher. Vous avez dû la trouver au bord de la déprime ?

— Non, pas vraiment. Elle s'en vient, le soleil l'appelle. D'après vous, l'affaire ne concerne plus les Basani ?

— Voulez-vous en savoir un peu plus long ? Marcel Mastano se fait dorloter et chouchouter rue Parthenais. Il cause dans un bureau chic devant un magnétophone de luxe. Tenez-vous bien, on vient d'embarquer à Ventnor, banlieue d'Atlantic City, les frères Stadino. C'est la tête ! Allez prendre un peu de soleil, boss, demain dimanche et on rentre !

Brigadier le laisse là et dit qu'il va s'acheter un sorbet :

— Surveillez mon radio. Il est neuf !

Asselin ouvre le joli appareil portatif, émaillé blanc et bleu avec poignée d'acier plaqué. Il fait pivoter un bouton, ce n'est pas long qu'il entend un speaker faire le résumé succinct du récit de Brigadier, frères Stadino compris. En fin de bulletin, la police fait demander au dénommé Antonio Basani de rentrer chez lui tranquillement, qu'il devra répondre à des questions d'usage, mais ne sera pas autrement importuné.

L'inspecteur retire chaussettes et souliers, va s'asseoir sur la plage. Il se serait donc trompé ? Le couteau à *The thing* n'a jamais existé. Ou bien on le retrouvera dans un tiroir de la *Casa*. Remisé là, inutile, n'ayant jamais servi, impossible à faire affûter... Il jongle. Une Danielle, déjà impliquée jadis, qui refuse de collaborer, qui menace de bavarder et qu'on élimine. Un gorille anonyme, un « bras » venu de loin, qui frappe, qui jette le cadavre à la mer, qui réintègre son trou dans un état lointain du « Far-West ». On a souvent vu ça, pense Asselin.

Sur l'océan, deux intrépides *surfers* chevauchent la

vague. On dirait deux cavaliers mythologiques dans leur combinaison de caoutchouc noir. Minotaures marins, corps de dauphins, tête humaine ! Brigadier vient reprendre son radio et, sans rien dire, marche sur la plage vers le sud, à la rencontre de Mariette.

31

Asselin est presque seul sur cette plage qu'un vent froid balaie. Il va vers son motel semblable à un paquebot tout blanc échoué sur la grève. Il a besoin d'entendre lui-même l'ordre de rentrer. Il va téléphoner à Dubreuil. Avant de signaler, il se fait son apéritif favori.

Charles tient à raconter au grand patron une certaine histoire d'amour. Il dit au directeur qu'il aimerait bien creuser un peu de ce côté, mais c'est l'ordre indiscutable de laisser travailler en paix « les grands » du monde des narcotiques.

— Très bien, m'sieur le directeur. Nous rentrons demain.

Asselin entendra chanter et siffloter son « chauffeur » tout au long de la vieille route numéro 26. À moins que... Il y aura Mariette Lagadie et ce sera peut-être pire. Des roucoulades sur le siège avant ?

Sirotant son pastis sur sa terrasse, Asselin décide qu'il ira bouffer son plat favori, *le penne arrabiata* à la *Casa Angela*. Le restaurant doit avoir réouvert ses portes maintenant, et Angela, soulagée par l'annonce de la radio, doit avoir retrouvé sa bonne humeur, sa belle façon coutumière. Il ira au lit très tôt et demain, très tôt, il dira à Brigadier : « En route pour la métropole et roulez pas trop vite. »

Il a parlé de son « chauffeur » au directeur Dubreuil

et il a appris que Brigadier avait insisté, imploré même pour être l'accompagnateur dans cette petite affaire d'aller récupérer Danielle P. Le directeur Dubreuil lui a même dit que le sous-ministre, lui-même, a fait une aimable pression pour que Brigadier soit de l'excursion. Alors voilà qu'il interroge ces façons : Brigadier serait peut-être mêlé de loin à ce trafic ? Pourquoi cette insistance ? On a déjà vu ça, un policier participant au sordide ouvrage des passeurs de drogues, et ça ne fait pas si longtemps. Asselin rit en lui-même et se dit qu'il cherche à se venger de la mercuriale que lui a assénée tantôt l'adjoint.

Il s'allume un cigarillo, brasse son *Pernod* et ouvre un des livres apportés, *Les Russkofs* de Cavanna. Il pose les pieds sur le parapet de la terrasse. Une petite mouette vient s'y poser et le fixe. Bêtement. Il lui jette sa tranche de citron. L'oiseau s'envole. Il a eu l'impression idiote que l'oiseau le narguait.

L'inspecteur rallume son cigarillo. Il lui semble entendre encore la voix du directeur : « Vous rentrez ! Ne discutez pas. L'affaire relève maintenant des Fédéraux. Je vais même vous prier d'oublier qu'on vous avait envoyé là-bas. À cause du sous-ministre, ça ferait jaser pour rien. Vous me comprenez, Asselin ? »

Asselin a reconnu la sacro-sainte frousse des autorités frileuses. Cette peur panique d'un faux pas et des conséquences imprévisibles du faux pas. Asselin a souvent vécu les conséquences de cette peur maladive : une enquête qui s'enlise, parfois pire, une enquête qui avorte abruptement.

Il prend conscience qu'il n'aurait jamais pu faire un de ces grands serviteurs de l'État, ni un directeur de police. Il fonce trop vite sur une proie plausible. Il n'a pas cette faculté de tergiverser, d'avancer en reculant parfois, qualité diplomatique qui conduit un calculateur ambitieux au faîte d'un organigramme bureaucratique.

Il se rend sur la coursive du côté ouest du motel. Le soleil diamante le bras de mer, illumine les toits des maisons de bardeaux sur l'autre rive, le toit de tuiles du vieux manoir à jazz « live ». Des enfants heureux traversent, à gué, le marais découvert par la marée descendante. Un joggeur échevelé s'arrête et ajuste ses écouteurs de musique sur cassette. Un gros bonhomme tente de désenliser sa vieille chaloupe. Un petit aéroplane passe dans le ciel tout bleu, traînant une banderole de lettrage rouge dans un français approximatif : *BENVENU AU « WRISTLING OYSTER », PARLON FRANCAI, HOMARD FUMEUX.*

Il sourit en songeant à un Brigadier heureux de rentrer dimanche, sa nouvelle blonde à ses côtés. Charles téléphone chez lui. Personne. Puis au bureau de Rolande :

— C'est terminé. Je rentre demain. Tu as lu les journaux ? Une affaire qui n'est plus de ma compétence, paraît-il. Contente ?

Rolande lui parle d'une jolie ferme, une aubaine, près de Saint-Ours.

— Tu as déniché un restaurant chinois, j'espère.

— Non, ce soir, *penne arrabiata* pour moi.

— C'est trop épicé, tu devrais pas !

Elle rit. Ils raccrochent.

Après *le penne*, il ira marcher un peu dans Perkins Cove et il tentera d'oublier qu'on y a trouvé le cadavre d'une jolie scripte de Radio-Québec sous la passerelle piétonnière. Tantôt, Rolande lui a dit :

— Écoute, Charles, ça s'est déjà vu, le fils, ou la fille, d'une famille bien sous tous les rapports et qui se trouve mêlé à une sale histoire. Pourquoi résistes-tu ?

Il lui avait parlé un peu d'un certain « triangle » amoureux en chamaille. Elle lui a dit : « Grand romantique, va ! »

Ensuite, il lui a dit « mais oui » pour cette ferme, mais, maintenant, il ne sait plus très bien s'il a besoin d'une campagne. Il peut aimer planter des arbres et des fleurs dans le petit jardin en ville, de là à s'isoler 365 jours par année, il ne sait plus... Il aime bien s'isoler un moment, mais il est content par la suite de pouvoir retrouver la vie urbaine aussitôt, les cinémas, les théâtres, les restaurants, les sorties, ces gueuletons que Rolande et les amis organisent deux fois le mois.

Charles regarde le soleil baisser, il repense à son « chauffeur » si content d'être redevenu libre si tôt. Il arrive mal à comprendre un jeune limier satisfait de voir une investigation que l'on stoppe d'un coup sec. Un autre monde ? Il va se servir un deuxième apéro, se voit dans le grand miroir au-dessus d'une commode. Il se sourit. Il songe à cette crise subite tout à l'heure, Brigadier en colère, se vidant de sa bile. Il téléphone pour le rapport sur la boîte à couteaux. Rien ! Pas de trace de sang et on a rapporté la collection incomplète au Basani. Puisqu'Antonio n'est plus soupçonné. Bien. Parfait. Tant pis. Il se gratte partout, nerveux, insatisfait.

Il a demandé les coordonnées de cette Monique Gallant, puis il fait sonner le téléphone à son appartement. Personne. On lui a promis qu'on la suivra durant 48 heures, mais il a fallu qu'il insiste beaucoup au téléphone. Il se rend compte qu'en fait il ne sait pas à quelle heure précisément Monique Gallant a fui dans sa Datsun pour rentrer à Montréal.

Il fait la revue de son petit monde à lui : la jeune infirme a de la peine à se mouvoir, il ne l'imagine donc pas capable de balancer un cadavre dans la mer. Angela, malgré ses humeurs farouches, lui semble une mère possessive, mais au cœur trop bon pour commettre le moindre crime. Il lui reste cet Antonio qui frappe Danielle, lui déchire son t-shirt un jeudi à l'aube. L'analyse est formelle : le meurtre a eu lieu jeudi en soirée. Il se demande si, à l'heure qu'il est, Antonio est dans sa cuisine. S'il a pu entendre « l'armistice » prononcée à la radio. Il verra bien tantôt. Il achève son verre d'un trait et part pour la *Casa*. Il abandonne. Il va obéir. Demain, il sera assis avec son olibrius mâcheur de chewing-gum rose.

32

À la *Casa*, Asselin a apprécié les pâtes cuites *al dente* comme dit Rolande. La sauce : piquante à souhait ! Il a mangé lentement. En arrivant tantôt, il a remarqué, dans le sable mouillé, une profonde trace. À un seul pneu ! La moto d'Antonio ? Il a fait une entrée prudente, discrète dans le restaurant. Angela lui a jeté un regard bref, fait, il ne saurait dire au juste, de mépris ou de rage rentrée. À l'étage, avant d'entrer, il a vu des rideaux qui bougeaient. La sœur infirme ?

Le petit « bonsoir mossieu », bien sec, de la maman lui est resté sur l'estomac. Il aimerait pouvoir lui parler, lui dire qu'il regrette toute cette histoire. Le restaurant se remplit peu à peu. Angela est installée à son haut pupitre-lutrin et elle en redescend seulement pour la distribution de son menu du jour.

La jolie négresse, au sourire constant, lui avait servi des antipasti succulents. Elle lui apporte une salade à la « Basani ». Beaucoup d'olives noires tout autour du plat. Derrière la lucarne, il a aperçu plusieurs fois le jeune Pascal. Pas d'Antonio !

— Mademoiselle, tout est rentré dans l'ordre, oui ?

La serveuse a jeté un regard tout autour, puis se penche en riant :

— *Well, the father is not as fast than the son !*

Elle s'éloigne aussitôt, comme honteuse de cette confidence. Le père est donc revenu enfin ? Asselin regarde de nouveau vers le comptoir-lucarne et, en effet, aperçoit, aux côtés du benjamin Pascal, un quinquagénaire aux yeux sombres, épaules très larges, aux cheveux grisonnants, frisés comme ceux de son fils Antonio. L'exil de Bénito est donc rompu ? Toute cette histoire a peut-être hâté son retour au bercail qu'Angela lui avait annoncé. La serveuse lui récite la liste des desserts, mais il a décidé qu'il irait se choisir une des glaces fameuses du *Viking's*. Il commande un capuccino et une eau minérale. Il voudrait bien causer deux minutes avec la maman, mais il a l'impression que, chaque fois qu'elle passe près de sa table, elle s'efforce d'éviter son regard. Dehors, une petite file s'est formée, on les fait patienter en leur offrant l'apéritif à prendre aux mini-tables d'un parterre exigu.

Angela apporte encore des menus et il l'intercepte carrément :

— Le papa est revenu, madame Basani ?

Elle lui jette un regard pressé :

— Le fils aussi, il est revenu, et ça fait des étincelles, ça !

— Antonio doit être content...

Asselin songeait à l'annonce à la radio. Angela le coupe :

— Non ! Ils sont comme chien et chat, ces deux-là !

Angela s'éloigne, ramasse de la vaisselle salie.

Asselin hausse la voix :

— Madame Basani, je suis amateur de mets italiens, je peux aller à la cuisine, oui ?

— Si vous voulez, pas le temps de vous présenter à mon Bénito !

Charles traverse les demi-persiennes à doubles ressorts. Il s'approche prudemment, s'excusant sans cesse, d'un Bénito très occupé :

— Je m'excuse, monsieur Basani, comment faites-vous votre vinaigrette ? C'était parfait.

Bénito, qui pèle, coupe, tranche et brasse tout à la fois, lui jette un regard distrait :

— Jé souis très occupé, mossieu.

Bénito ordonne à Pascal de lui descendre des plats, des chaudrons et des assiettes. Asselin salue d'un signe de tête le fils cadet qui ne lui répond pas.

— Vous reviendrez plou tard, mossieu, hein ?

Asselin se compose une silhouette de touriste benêt et maladroit, il s'incruste à dessein. Il ouvre un tiroir. Puis un autre. Le couteau à manche cerclé de cuivre lui apparaît ! Bénito, suractif, le bouscule en passant près de lui :

— Monsieur Basani, c'est très utile un vieux couteau de cette sorte ?

— Ça, ça vaut rien, un fantasia du Antonio, souppose !

Il le bouscule de nouveau pour aller vite brasser des monceaux de spaghettini. Asselin a refermé le tiroir et croit prudent de sortir.

À la caisse, il dit à Angela :

— Votre Bénito n'a pas perdu la main, c'était délicieux.

Angela le remercie d'un sourire plutôt affable, enfin.

— Il vous est revenu quand, le grand garçon ?

— Un peu avant l'arrivée des clients. Il est beaucoup nerveux. Il refuse de travailler avec le papa. Une douleur que ça me fait, mossieu !

— Il est au courant pour la jeune Palazzio ?

— Oui. Et il m'a crié qu'il saura la venger un jour de bientôt. Il a pris des yeux pas bons à voir, jé vous jure.

Asselin prend un cure-dent, lui dit de vagues paroles d'encouragement à propos de cette querelle père-fils et il sort.

Dehors, Charles aperçoit Mariette et Brigadier sirotant des campari-soda dans le petit jardin.

— Bien mangé, patron ?

Mariette porte une longue tunique de soie mauve, elle se lève et va vers lui :

— Faut que je vous dise, j'ai rejoint Monique au téléphone tantôt !

— Où ?

— Chez ses parents, à Repentigny. À propos de son mensonge aux inspecteurs, vous aviez raison. Elle m'a dit avoir eu peur des complications inutiles.

— Où était-elle jeudi soir ? Vous l'avez su ?

— Je sais pas si elle me dit la vérité, elle m'a parlé d'une amie de jeunesse d'Antonio.

— Elle vous a dit son nom ?

— Non. Elle m'a dit que c'était une infirmière de Biddeford.

— Elle vous a pas menti, elle se nomme Lise Day. Votre Tit-Jean l'a rencontrée, il ne vous l'a pas dit ?

— Lui ? Il veut plus rien savoir de tout ça. Il m'a dit que la duchesse était coincée dans l'affaire de trafiquants, c'est vrai ?

— On verra bien, un jour.

Brigadier s'approche, verre en main :

— Mariette est à pied, pas d'objection qu'on lui donne un « pouce » demain ?

— Mademoiselle Lagadie, je vous préviens, Brigadier conduit très mal et très vite.

Ils rient. S'étant assise, Mariette tire la manche de Charles :

— On peut même remonter ce soir, ça vous arrangerait ?

— Je préfère rouler de clarté avec ce conducteur fringant.

— Vous savez, je crois que je reviendrai plus jamais à Ogunquit.

Ayant dit cela, Mariette boit une grande lampée de Campari.

— Départ demain matin, tôt. Au revoir !

On vient chercher le jeune couple pour manger.

Asselin s'éloigne lentement de la *Casa*. Il revoit des rideaux qui s'agitent à une fenêtre à l'étage. Il résiste à la tentation de monter tout de suite rencontrer Antonio et Sophie. Il se dit qu'il reviendra quand les clients seront partis. Il va s'acheter une glace chez *Viking's* d'abord, puis il va se promener au *Dunelawn*, l'envie d'admirer une dernière fois cette somptueuse propriété et ses jolis jardins. Ainsi la piste Monique Gallant s'est refermée, il lui reste quoi ? La mère, la fille, le fils et un vieux couteau qui le hante.

33

Deux bonnes heures ont passé, Charles revient à la *Casa*. Il grimpe l'escalier discrètement et c'est Pascal qui lui ouvre :

— Vous n'êtes pas avec votre père ?

— Je dois me reposer, demain matin, c'est moi qui suis de service pour les *breakfast*.

— Je veux parler à votre grand frère.

— Je suis seul à la maison, j'ai loué un film-cassette de Woody Allen, mais c'est plate. Une histoire d'amour *complicated* !

— Où il est Antonio ?

— Il doit être au *scrap house*, il est toujours à protéger Sophia. Il l'a un peu élevée, saviez-vous ça ?

— Oui.

— C'est comme son vrai papa, Antonio !

— Pascal, pourquoi Antonio déteste tant votre père ?

— Sais pas trop. Moi, je l'ai pas connu dans le fond, j'étais un petit cul haut comme ça quand l'père est parti. Tony dit qu'il était toujours en boisson. Je m'en rappelle pas, j'avais trois ou quatre ans. Il m'semble qu'on le voyait jamais à la maison. Quand il est arrivé ce midi, b'en, je l'ai même pas reconnu. C'était comme un étranger qui pleurait dans le salon avec maman qui lui racontait toute cette histoire de meurtre.

— Et Sophie, avec votre père, ça va ?

— Oh non ! C'est pire encore ! Antonio me disait que le Bénito la battait. Je me rappelle pas de rien de ça. Paraît qu'une fois il l'a fait saigner. Il avait frappé avec sa ceinture. Le métal de la boucle avait fendu l'œil de Sophia. Antonio avait pris une batte de baseball, il avait douze ans, il l'avait assommé d'un grand coup par en arrière.

— Et vous ? Ça va avec Bénito ?

— Je vais m'en aller. Je vais travailler avec Tonio dans son nouveau restaurant. Il a promis.

Asselin descend au restaurant. Brigadier et Mariette y sont encore. Au dessert. Un gros gâteau maison, au chocolat. Charles demande la clé de la Buick à l'adjoint.

— Voyons, m'sieur Asselin, allez-vous courir la galipotte ?

— Soyez tranquilles, les tourtereaux, je rentrerai pas à Montréal sans vous !

34

Cap vers Cap Neddick. Asselin conduit tout doucement. L'expression de *scrap house* pour *The thing*, employée par le jeune marmiton de la *Casa*, l'amuse un instant. Il stationne la Buick sur une des deux pelouses défraîchies du parterre en face du magasin d'« antiquités ». C'est éclairé très faiblement, mais il espère bien parler à Sophie et surtout au jeune « chef » de chez Angela. Il lui demandera son emploi du temps détaillé pour ce jeudi soir, si le vieux couteau lui a déjà été utile à la *Casa* et à quelle époque. Puis il s'en ira. Insatisfait peut-être des réponses, mais il s'en retournera au *Norseman* et, dimanche, adieu à Ogunquit et ses charmes ! Il a eu souvent besoin d'aller tout bonnement au bout de son propre plan d'enquête, une routine si on veut, il faut qu'il l'accomplisse jusqu'à la fin. Avec ou sans résultat.

La lumière du jour va s'éteindre bientôt complètement. Pas loin, des criquets s'interrompent à qui mieux mieux. Plus loin, les crapauds émettent leur triste cantique en ponctuation au grésillement des criquets. Un chien imite le loup sous la lune. Soudain, dans un camion bringuebalant, de jeunes fêtards passent en trombe. Cris et clameurs joyeuses. Asselin cherche un peu des yeux une certaine moto rouge. Rien. Que ce tacot bleu royal auquel il manque une roue entière ! Une bûche de bois soutient l'essieu avant. La maison dans le crépuscule semble un taudis comme il a pu en voir beaucoup dans les Appalaches vendredi, sur la route 26. Il a su par Pascal que c'était le premier logement de la famille et il imagine un papa Bénito, buveur et joueur, rentrant en titubant dans cette vieille bâtisse, il y a dix ans et plus. Il conçoit mal une Sophie, si peureuse, tenant seule le magasin sur la 1-A déserte, à cet endroit. Surtout les jeudis et vendredis soirs jusqu'à neuf heures. Cette Monique Gallant, un temps, qui y était les jeudis soirs, elle aussi il la voit mal, seule, dans cette bicoque. Le vent se gonfle un moment et Charles frissonne, relève le col de son veston.

Par une fenêtre du côté sud, il vient d'apercevoir le passage d'une ombre. Il n'a pu voir si c'était une femme ou un homme. Un strident cri de chouette le décide à aller frapper à la porte. Personne.

L'inspecteur se penche, main en visière, pour regarder par les fenêtres-vitrines d'occasion. Derrière l'une : rayonnage de planches de grange avec, dessus, des carafes, des pichets, pots en terre, en verre, de tous les formats, faïence à bon marché. Les prix sont marqués sur des collants. Dans l'autre fenêtre, étalage métallique : cendriers, chopes, gobelets, deux arrosoirs anciens. Un bruit mat et il sursaute de surprise :

— *It's closed, sir ! Come tomorrow, please !*

Il reconnaît, la photo, Antonio Basani qui marche vers lui. Il doit être sorti du magasin par une porte arrière. Il voit tout de suite qu'Antonio, en effet, est un beau jeune homme de taille moyenne, le regard sombre et très doux, des lèvres épaisses.

— Je viens pas pour acheter, je suis venu pour vous parler, Antonio Basani.

— *What for ? Who are you ?*

— Ce ne sera pas long, vous allez voir.

— Quoi est-ce que vous voulez savoir ?

Comme sa mère, sa sœur, son jeune frère, il a en français une sorte d'accent. Acadien, dirait Asselin. Louisianais, peut-être, comme ce chanteur, Zachary Richard, qui le fascine quand il passe à la télé.

— On pourrait parler un peu, soit de Danielle ou de Monique ? Comme vous voulez.

— J'ai toute dit au détective Maynard, ce que je savais, ce que je sais. Je suis pressé, mon travail.

Dès lors, Asselin sait qu'il ment puisqu'il refuse de travailler avec son père à la *Casa*. Il lui montre ses papiers officiels.

— Votre sœur Sophie est là ?

— Non. Je comprends pas. Où elle est ? I am very worry. Je rentre aller voir à la maison.

— Vous êtes venu en moto ?

— Non, avec le tacot, mais une roue s'est cassée. Il y a des taxis pas trop loin. Je suis inquiet. Je dois rentrer, excuse me.

— Antonio, je peux vous l'annoncer, Maynard va revenir vous questionner à propos de trafic de drogues.

— *Goddam ! I don't touch that shit.* Questionnez tous mes amis, *goddam* !

— Antonio, comment comptez-vous venger la mort de votre amie ?

— *I'll go to Montreal*. Je trouverai qui. Un jour, je trouverai.

— Je peux vous aider peut-être. Commencez par me dire où vous étiez jeudi soir.

— Question *foolish*. Je travaille tous les soirs à la *Casa*. Informez-vous, je suis cuisinier là-bas.

— Je suis au courant. Je vous reconduis chez vous ?

Le jeune homme semble méfiant, très tendu. Charles lui prend un avant-bras et le conduit doucement vers la Buick :

— Vous connaissiez le passé de Danielle ? Du temps de son manager Marcel Mastano ?

— *For sure, yes* ! Je sais tout. Danielle m'a tout dit. C'était terminé tout ça, tout. Pour cet homme marié, Corbo, c'était terminé ça aussi. Elle m'aimait.

En s'installant dans la voiture, Antonio lui a jeté un regard désespéré. Asselin en est vraiment ému, convaincu qu'il l'aimait vraiment.

— Quand vous a-t-elle dit que c'était fini avec le professeur Corbo ?

— Je travaillais au restaurant, c'est Sophie qui m'a téléphoné... Danielle était ici. Elle voulait absolument me parler, c'était avant-hier.

— Jeudi ? Jeudi soir ?

— Je suis venu en vitesse, j'ai laissé mon ouvrage, maman n'était pas contente.

— Avez-vous été surpris de ce changement, de son retour ?

— Pourquoi ? Danielle m'aimait et je l'aimais. Je devais aller m'installer avec elle, à Montréal. Elle est morte maintenant.

Antonio laisse couler ses larmes. Asselin n'ose plus parler. Il démarre et roule direction nord, vers la *Casa*.

* *
*

« Vous avez eu une querelle terrible ce matin-là sur le Marginal Way. »

— Ça regarde personne. Je suis pressé, je me lève à six heures pour les *breakfast* demain matin.

Encore un mensonge, se dit Asselin, puisque le jeune frère lui a dit que c'était son ouvrage tout à l'heure au logis maternel. La noirceur vient vite. Asselin se sent dérouté, incapable de soupçonner sérieusement ce doux jeune homme qui pleure en silence dans la Buick.

— Votre Danielle a pu tremper dans un trafic dangereux...

Antonio l'interrompt d'une voix forte :

— C'est vieux, ça. Elle savait pas. Mastano se servait d'elle pour passer les frontières, c'était une vedette des *movies*, up there !

Asselin voudrait lui parler du couteau manquant, mais il cherche un angle. Il essaie la diversion, un moyen efficace parfois, un mot, une phrase est échappée et il recolle les bouts :

— L'arrivée de votre père, ça ne vous arrange pas, on me l'a dit.

Il ne mord pas tout de suite à cet hameçon.

— *That's my business*.

— Je vous comprends, c'est pas très correct, ça ressemble à un mari profiteur qui avait abandonné une femme avec trois enfants...

Antonio l'interrompt :

— C'est un lâche ! Il va recommencer à boire, à gaspiller l'argent, à battre Sophia.

— Votre jeune frère a des doutes sur ce père qui aurait battu sa fille.

— Un innocent, Pascal ! Il était trop petit pour bien voir tout. Vous voulez un exemple ? Sophie suivait pas à la petite école, ça l'enrageait, le Bénito, et, un jour, il a pris une grosse ceinture avec une boucle de métal...

Cette fois, c'est Asselin qui l'interrompt :

— J'ai su, oui, et vous l'avez assommé avec une batte de baseball.

— Elle saignait à flot ! J'suis pas un violent, mais si je vois de l'injustice, je peux devenir beaucoup violent.

Il se tait. Ouvre et ferme nerveusement le coffre à gants devant lui. Asselin essaie de penser à quelle injustice répondrait ce coup de couteau à Danielle. Ce jeudi soir, la duchesse lui a-t-elle annoncé une rupture définitive ? Comment savoir la vérité ? Il le regarde qui pleure de nouveau en silence.

— Vous l'aimiez tant que ça ?

— Oui, elle est sans défense, me téléphonait souvent, par peur, face à un client louche.

— Je voulais parler de Danielle.

Il ne dit rien. Asselin voit le théâtre d'été qui fait entrer ses spectateurs, le show va commencer. Le vent s'est changé en une brise plus douce. Il offre un cigarillo. Antonio refuse, il s'est pris des mouchoirs de papier dans le coffre du tableau de bord. Il se mouche un peu et se remet à parler :

— Jeudi soir, aussitôt que je suis arrivé, Danielle m'a dit qu'elle était décidée à m'aider sérieusement pour cette école de cuisine à Montréal. Elle m'a dit aussi que ce serait facile de me trouver un job à Montréal dans un restaurant italien.

Asselin profite aussitôt du propos :

— Comment votre sœur Sophie prenait ça, ce projet de départ ?

Charles voit son visage se durcir, sa bouche se crisper soudainement. Il se tait encore.

— Est-ce que Sophie acceptait mademoiselle Palazzio dans votre vie ?

— Non. Évidemment non. Je suis un peu son père à Sophie, faut comprendre ça.

— Elle détestait cette Danielle ?

— Danielle m'a dit en me reconduisant vers la porte du magasin : « Va-t-en, je vais lui parler. » Sur la galerie, elle m'a dit : « Tu vas voir, elle va se calmer, je vais la raisonner. » Je suis retourné à la *Casa* pour mon ouvrage. Je me suis dit, ça va s'arranger.

— Pourquoi ? Elles se chicanaient ?

— Non. Même que, quand j'suis arrivé, elles riaient en regardant un album de vieilles photos.

Asselin regrette d'être arrivé en face de la *Casa*. Antonio ouvre la portière nerveusement. Il regarde Asselin avant de sortir :

— Il faut venger la mort de Danielle. Il le faut, pas vrai ?

— On y arrivera avec un peu de temps.

Il sort d'un trait. Asselin élève la voix :

— Antonio ? Vous avez une idée ? De quel côté je devrais fouiller, selon vous ?

Il revient vers la voiture, se penche, le regarde un instant, on dirait qu'il va lui confier un secret efficace. Mais il se redresse, lui tourne le dos, regarde la route encombrée de trafic du samedi soir :

— J'sais pas. Vous allez remonter à Mastano, je suppose ?

Il s'éloigne lentement, comme à regret, l'inspecteur hausse encore la voix :

— Allez-vous faire la paix ? Travailler avec votre père ?

Restant à l'écart, Antonio lui dit en se penchant un peu :

— J'ai vendu la moto ce midi. Je vais réparer le vieux char. Je me suis trouvé un job au vieux market sur le port de Boston. J'amène Sophie, je monte pour lui dire ça.

— Si j'ai des bonnes nouvelles, comment je pourrai vous rejoindre ?

Il vient encore se pencher à la portière de droite :

— On se reverra plus, m'sieur. Je viens faire mes bagages, je pars pour Boston demain matin. Pour toujours. Ogunquit, c'est fini.

— Je vois. Bonne chance !

Le jeune cuisinier grimpe l'escalier quatre marches par quatre marches.

Le détective sort de la Buick et va vérifier si « les tourtereaux » sont encore à la *Casa*. Par la porte vitrée, il voit qu'ils sont partis. Quelques rares clients s'attardent autour de leur café. Il voit les parents, Bénito et Angela, attablés dans un coin au fond du restaurant. Ils semblent faire les comptes de la soirée. Charles se décide à entrer. La mère s'est tournée vers ce client retardataire :

— *Sorry, sir ! It's closed.*

Elle le reconnaît :

— C'est fini, on va fermer. Je regrette, mossieu !

— Madame, je viens chercher le couteau. Je repars tout de suite.

— *What ?* Quel couteau ?

Elle regarde Bénito. Le mari se lève et marche un peu vers l'inspecteur qu'il reconnaît :

— Ma oui... Il est un collector de couteaux, ce mossieu.

— Bénito ! Ce mossieu est de la police de Québec.

Le père l'interroge du regard avec anxiété.

— J'enquête sur la mort d'une amie de votre fils. Je dois prendre ce vieux couteau, vous vous souvenez ?

Charles fonce vers la cuisine, il a le sentiment de désobéir gravement à son directeur, mais tant pis, il ouvre le tiroir et prend le couteau cerclé de cuivre.

Il l'a pris par la lame, conscient pourtant qu'on a pu l'avoir manipulé souvent, et il sort sans voir certains clients qui restent plutôt éberlués des propos de ce visiteur impromptu. En ouvrant, il jette à voix forte :

— Craignez rien ! On vous le rapportera après examen.

Bénito et Angela sont debout, étonnés. Angela est inquiète, se demandant si le cauchemar, qu'elle croyait terminé, va se poursuivre.

35

En roulant, soudain, il se trouve ridicule, pas seulement désobéissant. Il a des doutes. Il souhaite aller réfléchir au *Norseman*. Devrait-il vite, oui ou non, aller faire analyser ce couteau d'un autre âge ? Si on découvrait une trace, même microscopique, du sang de la duchesse ? En passant devant le numéro 26, il tend l'oreille. Rien. Il entre chez lui en se disant que l'associé a su joindre le travail à l'agréable. Amour et boulot ! C'est nouveau. Il tente de se convaincre qu'un monde différent prend forme. Au sein des forces policières comme ailleurs. Il songe à cette jolie blonde aperçue, en uniforme, au volant d'une voiture-patrouille, avec à ses côtés un séduisant jeune compagnon, policier comme lui ! Un monde qu'il n'avait pas prévu à ses débuts. Pas du tout.

Il se sert du brandy dans une tasse de son inutile cuisinette et va s'asseoir sur sa *loggia* devant la mer. Il doit réfléchir. Calmement. Il se demande s'il devrait appeler aux « archives-dossiers ». Cet avocat célèbre dont lui a parlé Adrien Dubois pourrait avoir été mêlé, de son vivant, aux œuvres d'un Marcel Mastano. Avoir été peut-être « commandant » ? Un « capo » ? Il cherche la lune dans le ciel. La lune est là ! Non. Pauvre vieux Trenet, la lune n'est pas là.

Il se sent mieux : la mer pas loin ! Il reste un peu

tendu : s'il perdait son temps ? si c'était Brigadier qui avait raison avec une duchesse assassinée pour refus de coopérer, pour menace de bavardage ?

Il calcule, il soupèse, il balance. Il hésite. Devrait-il vite aller lui-même porter le vieux couteau aux labos de Portland ou d'Augusta ? Il n'aime pas rouler la nuit. Il pourrait donner un coup de fil à la police municipale, ils feraient la commission, emportant l'outil qui le tracasse tant, qu'il a enveloppé dans des mouchoirs de papier et déposé dans un coin du coffre à bagages de la Buick.

Il va se servir encore un peu de son brandy. Mariette Lagadie n'aimait pas du tout la duchesse, songe-t-il, elle est peut-être en train de danser dans une discothèque dont il a vu tantôt le néon multicolore, sur la 1-A. Ou au *Dunelawn* ? Le voilà qui se juge ancien, bien têtu aussi, continuant à creuser un boulot dont il doit se défaire par ordre des autorités. Brigadier, se dit-il, est un homme des nouvelles générations, le zèle doit être un mot rayé de son lexique personnel. Il ouvre son calepin, il va téléphoner pour qu'on vienne chercher cet ustensile qui le hante.

Maintenant, il regrette, le couteau entre son pouce et l'index, de n'être pas monté tout de suite à l'étage. La vue du couteau aurait peut-être fait craquer Sophie et Antonio. Un des deux ? Les deux ? Il sort du 46 en toute hâte. C'est ce qu'il doit faire, tout de suite. Il exigera que Sophie lui fournisse un emploi du temps détaillé pour ce jeudi soir. « Entre huit et onze heures », comme c'est rédigé dans le rapport officiel du médecin-légiste. Après tout, c'est elle, la jeune infirme, qui a vu Danielle pour la dernière fois. Un client louche se serait-il amené à *The thing* aussitôt reparti le grand frère ? Attendait-on la duchesse au coin d'une ruelle sur le chemin entre le magasin et le chalet ? L'innocente jeune Sophie va peut-être se rappeler un de ces détails essentiels : une voiture qui, soudain, part en trombe quand Danielle quitte le *flea market* ?

En roulant, une fois de plus, sans qu'il puisse s'expliquer clairement pourquoi il refuse de lier ce meurtre au trio Mastano-Corbo-Bucher, il s'acharne, dominé par il ne sait trop quelle intuition, sur le trio Antonio-Sophie-Danielle.

Il s'approche de la *Casa*, stoppe le moteur. S'il se trompe ? Il s'excusera, il s'esquivera, il se dira qu'il est une vieille baderne qui devrait prendre une retraite totale dans les plus brefs délais.

La lune s'est libérée des nuages invisibles et luit dans le ciel grisâtre. Plus de lumière vive à la *Casa*, quelques veilleuses seulement, des silhouettes semblent entasser des chaises sur les tables. On va passer la vadrouille probablement.

Soudain, surprise, il aperçoit, venant d'un appentis de la *Casa*, Antonio ! Il traîne sa moto, s'y installe et démarre ! Premier mensonge, il ne l'a pas vendue !

— Antonio ? Où allez-vous ?

Deuxième mensonge, il crie :

— Enlevez-vous de mon chemin ! Sophie ne répond pas au téléphone du magasin !

Elle y était donc quand il y est allé un peu plus tôt ! Elle se cachait ? Antonio lui a menti !

— Allons-y ! Je vous suis.

Pétarade d'usage. Antonio file à toute vitesse vers le *flea market, The thing*. La puissante lumière de son phare fend la noirceur, Asselin a du mal à le suivre.

36

Aussitôt arrivé, Antonio laisse tomber son engin rouge sur une des pelouses. Asselin se gare sur l'autre pelouse et voit Antonio qui cogne dans la porte comme un forcené, qui cherche la clé dans ses poches en grommelant. Il trouve enfin ! Déverrouille, se précipite à l'intérieur en appelant à grands cris. Asselin entre à son tour. La sonnerie du téléphone retentit sans cesse près de la caisse à droite de l'entrée. La mère Angela, sans doute ? Ou Pascal ? Antonio a les yeux exorbités, il grimpe maintenant sur une échelle clouée au mur et, avec une torche électrique, tente de regarder dans l'entretoit, un grenier bas. Il redescend, excité, paniqué.

Maintenant, il fonce vers la porte arrière en criant toujours le nom de sa sœur, un des carreaux a volé en éclats dans sa précipitation. Dans la cour, il gueule de plus en plus fort :

— Sophia ? Où es-tu, Sophia ?

Il marche vers la vieille grange au fond du terrain, il y court plutôt, bute sur un chevalet à scier du bois, se relève aussitôt en gémissant, va donner un furieux coup de pied dans la porte du vieux bâtiment qui s'arrache d'un jet. Asselin marche vers cette grange, il voit une ampoule s'allumer et entend un cri immense ! Déchirant :

— Sophia !

Asselin entre à son tour, une ampoule se balance sur son fil. Antonio s'étouffe dans ses larmes, tenant à bras le corps une vieille commode à demi sablée. Asselin promène son regard partout et aperçoit du sang sur le sol cimenté ! Sur un tas de vieux matelas, les bras en croix, Sophie Basani ! Les poignets tranchés. Sur le matelas, un petit couteau à peler les légumes au manche cerclé de cuivre.

Un long silence ponctué seulement par les sanglots du grand frère.

Charles pose sa main doucement au dos du jeune cuisinier :

— Venez. Faut pas rester là. Venez avec moi, Antonio.

Antonio tremble et prononce d'une voix tout à fait désolée :

— Elle l'a fait. Elle l'avait dit. Elle l'a fait, *goddam* !

Asselin l'entraîne un peu malgré lui en dehors de cet entrepôt rempli de vieux meubles. Silence partout, étrangement, ni criquet, ni grenouille, le silence compact. Charles conduit Antonio vers le magasin, il doit vite téléphoner à la police locale. Ils traversent de part en part le magasin, l'inspecteur le soutient. Dehors, il le fait s'asseoir dans un vieux fauteuil sur la galerie de bois, il s'y écrase en larmes et en plaintes sourdes.

— Antonio ? Il manque un deuxième couteau maintenant dans le coffret de velours bleu, non ?

Antonio se redresse un peu, se prend la tête à deux mains :

— J'aurais pas dû la laisser seule aussi.

— Mais, vous lui aviez dit que vous l'ameniez à Boston ?

— Je veux parler de Danielle !

— Ah !

— J'aurais pas dû la laisser ici avec ma sœur.

Asselin se penche vers lui, il a du mal à entendre ce qu'il dit tant sa bouche tremble, tant sa voix est chevrotante. Il sait, il sent, que c'est la fin du puzzle.

— Antonio ? Qu'est-ce qui s'est passé jeudi soir ?

Antonio s'est levé, il marche à l'autre bout de la longue galerie de planches vermoulues, s'accroche à un des poteaux qui soutiennent un toit en pente raide. Il pleure et secoue la tête.

— Il faut parler maintenant. Ça n'allait pas du tout ? Sophie et Danielle ?

— Jeudi soir, c'est Danielle qui m'a dit de partir, qu'elle allait la raisonner.

Il gueule quasiment :

— Et je suis parti ! Idiot ! Elle l'a tuée, elle l'a fait, vous savez.

— Avec le grand couteau qui manque à la collection ?

Antonio acquiesce de la tête et râle de plus belle.

L'inspecteur est presque malheureux d'avoir deviné juste. Il songe qu'il aurait préféré la version Brigadier. Une question le tourmente : l'infirme n'a pu aller jeter Danielle Palazzio, poignardée, dans la mer. Il va vers la Buick, ouvre le coffre, prend le couteau et rejoint Antonio sur la galerie :

— C'est l'arme de votre sœur ?

Antonio ne regarde pas, il halète, détache sa chemise à carreaux, regarde la lune.

— Quand avez-vous découvert son crime ?

— Après mon travail, je suis monté au logement pour me changer et puis me rendre au chalet des filles. J'ai été surpris de pas y voir Danielle. Je suis venu ici. Sophie était sur la galerie, elle tremblait, elle pleurait, le couteau était entre ses pieds. J'ai compris tout de suite. J'ai trouvé Danielle sur le plancher du magasin, étendue sur le vieil album, morte.

— C'est vous qui êtes allé jeter le corps à la mer ?

— Il fallait bien que je la fasse disparaître. Je suis allé avec Sophie près du vieux phare, sur le Marginal Way, avec la Ford bleue. Ensuite, j'ai pleuré. Des heures et des heures.

— Vous n'avez pas remis le couteau dans son boîtier, Antonio ?

— Je savais plus ce que je faisais. Sophie a fini par se calmer. On est rentré à la maison. Elle est montée se coucher, moi je suis allé cacher le couteau dans un meuble de la *Casa*.

Asselin allume les vieux lustres du magasin et téléphone aux policiers. Il leur remettra les deux couteaux et aussi le jeune cuisinier de chez Angela.

— C'est fini, tout ça. On va venir vous chercher maintenant.

Antonio s'est assis de nouveau dans le fauteuil défoncé de la galerie. Il semble étrangement indifférent à ce qui pourrait lui arriver désormais.

— Je n'aimais plus Sophie, je n'aimais plus que Danielle. Sophie se serrait contre moi, elle disait : « Maintenant, si tu me laisses, je vais me tuer. » Elle avait peur que je parte pour Montréal, mais c'est à cause de mon père, tout ça.

Asselin va chercher des cigarillos dans la Buick. Il se sent toujours mal dans sa peau quand une enquête aboutit à ce genre de coupables. Il préfère de beaucoup la crapule dégueulasse, le bandit notoire. Il s'allume nerveusement et regarde sur la galerie la silhouette d'un beau jeune homme qui sera accusé sous peu de complicité pour meurtre. Il prend une grande bouffée de cet air salin et jette au loin, d'une chiquenaude, le cigarillo qu'il vient tout juste d'allumer.

Soudain Antonio tressaille fortement, il entend la sirène mugissante des policiers d'Ogunquit. On dirait que le concert des criquets et des crapauds éclate subitement comme si la vie, partout, toujours et malgré tout, devait reprendre son cours ordinaire maintenant.

37

La Buick roule avec trois personnes à bord. C'est un dimanche matin de toute beauté. Frais et ensoleillé. Asselin a pris son petit déjeuner au *Captain's*. Seul. Mariette Lagadic et Jean Brigadier se sont amenés après avoir mangé chez *Barbara Dean*. Asselin est silencieux, encore secoué. Brigadier met cette hargne sur la déception d'avoir été détaché de l'enquête, il ne sait encore rien du dénouement. Il porte le veston bleu marine, le pantalon de flanelle blanche du départ de Montréal.

La Buick roule. Asselin a consenti avec plaisir à ce que la blonde scripte puisse prendre place à l'avant aux côtés de son veau soupirant. Les écriteaux défilent, Drake Island, Moody Beach, Wells. Puis c'est le *turnpike* 95. Direction Portsmouth et ce sera la route numéro 4, puis la 89, Brigadier a moins confiance en sa vieille route 26, pense Charles, ou bien il sait que le couple sera débarrassé de lui plus vite par l'autoroute ordinaire ? Il a sorti son calepin et gribouille des notes en vrac pour son rapport. Au motel, plus tôt, ce furent les félicitations d'usage. C'est le directeur, Dubreuil, qui a téléphoné. Il avait tout appris déjà. Charles a envie de mettre un titre à son brouillon : « Mort d'une duchesse québécoise ! » Ça y est, déjà, Brigadier a retrouvé la voix :

— Patron, consolez-vous, on a beaucoup jasé de

toute cette affaire, Mariette et moi. Regardez b'en ça : la duchesse se droguait pas, O.K., mais elle dépensait comme une reine. On parlera pas contre une morte, mais disons qu'elle avait pas pu décrocher de son statut de star. Conclusion, chef ? C'est assez clair, elle était restée en contact avec Marcel Mastano, son ancien gérant.

Asselin en a pitié :

— Brigadier ? Je voudrais vous dire qu'il s'est passé pas mal de choses hier soir...

Brigadier l'interrompt aussitôt :

— Non, patron, je sais que vous avez pas une haute opinion de moi, mais laissez-moi continuer de vous dire par où ça va aller, l'enquête. Regardez b'en : plus ils vont chouchouter Mastano, plus vite ils vont découvrir qui a tué la fille du sous-ministre. L'ordre est venu d'en haut, de plus haut que Mastano ou Corbo, des frères Stadino, j'en gagerais ma chemise. Mariette vous le dira, dans le temps, il y a eu des tas de voyages du côté d'Atlantic City, Danielle lui disait aimer les slots-machines et le black jack. Menteries !

Mariette remue sur son siège, grimace, Asselin la voit dans le rétroviseur. Elle doit détester ce rôle d'informatrice involontaire.

— Brigadier ? Seriez-vous intéressé à écouter une autre version ?

— Voulez-vous me laisser parler, pour une fois ? Je vais me taire après.

Mariette se tourne vers Charles Asselin :

— Je veux pas être une stool, je veux juste aider Jean.

— Vous en faites pas, mademoiselle Lagadie, tout est terminé maintenant. Voici des faits.

Brigadier semble furieux :

— J'ai le droit de parler, maudite bavarde ? Regardez b'en ça : Mastano se fait piquer. O.K. ? Il pense qu'on l'a lâché. Il en chie, il en bave. Il se met à couler. À Parthenais, c'est la chambre d'échos, son avocat panique. Faut faire taire, faut fermer les vannes. Expédition des Bucher, Corbo et qui d'autre encore ? O.K. ? Mais la duchesse est en amour avec son bel Italien, elle veut plus rien savoir, elle se braque et fait des menaces. Corbo, rejeté, rappelez-vous la chicane du *Riverbank*, avertit qu'il y a de la résistance. Après, hein ? Après ? Qu'est-ce que vous pensez que les Stadino vont faire ?

Asselin se dépêche de parler pendant que l'adjoint change sa mâchée de gomme :

— Une chose se tient là-dedans, Danielle et Antonio s'aimaient vraiment. J'en suis sûr. Vous voulez savoir la suite, Brigadier ?

— Taisez-vous donc juste une minute ! Chef, je continue à Ogunquit, jeudi...

Charles s'est remis à griffonner son calepin, il ne l'écoute plus. La Buick tourne dans un rond-point, ce sera la 4 bientôt et Brigadier parle, parle, change encore sa mâchée de gomme, continue ses élucubrations. Bien malgré lui, l'inspecteur entend certains mots comme « mafia », « le tueur à gages », « la coke à cacher », « ce fumier de Corbo », « la pauvre duchesse ».

Asselin se dit qu'il finira bien par se taire, alors il lui dira une Danielle réconciliée avec Antonio, le départ imminent vers Montréal des deux amoureux, la panique de la jeune Sophie, le couteau du coffret, le vieux phare du Marginal Way, le suicide de l'infirme.

Même Mariette la blonde se lasse, ouvre la radio. C'est *La mer* du vieux Trenet. « Orchestration de Michel Legrand », a dit le speaker. Et Brigadier qui s'exclame :

— Ça sert à rien de continuer ! Vous m'écoutez pas. Passez-vous de moi, je dirai plus rien !

Ses dents s'allongent en voulant voir Asselin dans son rétroviseur.

Alors l'inspecteur commence son récit à lui, qui va tant surprendre son « chauffeur ».

FIN

Février 1985

Chronologie

1930	Claude Jasmin naît à Montréal le 10 novembre, d'Édouard Jasmin, marchand, et de Germaine Lefebvre.
1943-1947	Il étudie au collège André-Grasset.
1948-1949	Il suit des cours privés.
1948-1951	Inscrit à l'École du meuble, il obtient un diplôme avec spécialisation en céramique.
1951-1953	Il est étalagiste pour plusieurs compagnies.
1953-1955	Il travaille au Service des parcs de la Ville de Montréal, section théâtre, marionnettes et arts plastiques.
1956-1987	Entré à Radio-Canada, il occupe le poste de scénographe.
1960	Il remporte le prix du Cercle du livre de France pour *La corde au cou*
1963	Sa pièce *Le veau dort* lui mérite le prix Arthur-Wood.
1965	Il reçoit le prix France-Québec pour *Éthel et le terroriste*.
1970	Son téléthéâtre *Un chemin de croix dans le métro* est honoré du prix Wilderness-Anik.
1980	Il obtient le prix France-Canada pour *La sablière* et le prix Duvernay de la Société Saint-Jean-Baptiste de Montréal pour l'ensemble de son œuvre.

1986-1987	Il anime l'émission littéraire « Claude, Albert et les autres... » au réseau de télévision Quatre-Saisons.
1988	Chroniqueur de spectacles au réseau Radio-Mutuel.
1989	Au réseau de télévision Quatre Saisons, collabore à la série « Marguerite et cie » et est critique littéraire à l'émission « Premières ».
1990	Commentateur politique et social à la radio CJMS à Montréal ; avec Paul Arcand, coanime l'émission « Face à face », qui propose des débats polémiques sur l'actualité.
1992	Retour au roman avec *Le gamin*, roman d'apprentissage.
1993	Parution de *Comme un fou*, récit de quarante refus essuyés au cours d'une carrière. Séjour à Miami Beach, où il expose une trentaine d'aquarelles. En préparation : *Le serpent dans le pommier*, sorte de bilan à partir de quelques deuils importants survenus dans la vie de l'auteur au cours des dernières années.

Bibliographie

Et puis tout est silence. Roman, Montréal, *Écrits du Canada français*, vol. VII (1960), p. 35-192 ; Montréal, les Éditions de l'Homme, 1965, 159 p. ; Montréal, l'Actuelle, 1970, 190 p.; Montréal, Quinze, collection « Présence », 1980, 199 p. [Présentation de Gilles Marcotte] ; trad. par David Lobdell, Toronto, Oberon Press, 1981, 152 p. [sous le titre : *The Rest is Silence*].

La corde au cou. Roman, Montréal, le Cercle du livre de France, 1960, 233 p. ; Paris, Robert Laffont, collection «Les jeunes romanciers canadiens», 1961, 254 p. ; Montréal, le Cercle du livre de France, collection « CLF Poche canadien », 1970, 163 p.

Délivrez-nous du mal. Roman, Montréal, les Éditions À la page, 1961, 187 p. ; Montréal, Stanké, collection « 10/10 », 1980, 196 p.

Ethel et le terroriste. Roman, Montréal, Librairie Déom, collection « Nouvelle Prose », 1964, 145 p. ; Montréal et Paris, Stanké, collection « 10/10 », 1982, 156 p. ; translated by David S. Walker, Montréal, Harvest House, 1965, 112 p. [sous le titre: *Ethel and the Terrorist*]; collection « French Writers of Canada », 1974 ; traduit en tchèque par Eva Janovcora, dans

Pet Kanadskych novel [Cinq romans canadiens], Prague, Odeon, 1978, p. 351-451 [sous le titre : *Ethel a terorista*].

Roussil. Manifeste, Montréal, les Éditions du Jour, collection « Les Idées du jour », 1965, 91 p.

Pleure pas Germaine. Roman, Montréal, Éditions Parti pris, collection « Paroles », 1965, 169 p. ; Introduction de Sinclair Robinson et Donald Smith, Montréal, Centre éducatif et culturel, 1974, xiv, 159 p. ; Montréal, l'Hexagone, collection « Typo Roman », 1985, 201 p.

Les artisans créateurs. Essai, Montréal, Lidec, collection du « Cep », 1967, 118 p.

Les cœurs empaillés. Nouvelles, Montréal, Éditions Parti pris, collection « Paroles », 1967, 136 p. ; Préface de Réginald Hamel, Montréal, Guérin, collection « Le hibou blanc », 1988, 173 p.

Rimbaud, mon beau salaud ! Roman, Montréal, Éditions du Jour, 1969, 142 p.

Jasmin par Jasmin. Dossier, Montréal, Claude Langevin éditeur, 1970, 139 p.

Tuez le veau gras. Théâtre, Montréal, Leméac, collection « Répertoire québécois », 1970, 139 p.

La mort dans l'âme. Téléthéâtre dans *Voix et Images du pays*, vol. IV (1971), p. 135-173 [Créé en 1962].

L'outaragasipi. Roman, Montréal, l'Actuelle, 1971, 208 p.

C'est toujours la même histoire. Roman, Montréal, Leméac, collection « Répertoire québécois », 1972, 55 p.

La petite patrie. Récit, la Presse, 1972, 141 p. ; Montréal et Paris, édition spéciale de Laffont Canada ltée et des Éditions internationales Alain Stanké, collection « Québécoise », 1981, 141 p. ; Montréal, la Presse, 1979, 141 p. ; Montréal, la Presse, collection « 10/10 », 1982, 155 p.

Pointe-Calumet Boogie-Woogie. Récit, Montréal, la Presse, collection « Chroniqueurs des Deux Mondes », 1973, 131 p.

Sainte-Adèle-la-vaisselle. Récit, Montréal, la Presse, collection « Chroniqueurs des Deux Mondes », 1974, 132 p.

Revoir Éthel. Roman, Montréal, Stanké, 1976, 169 p.

Le loup de Brunswick City. Roman, Montréal, Leméac, collection « Roman québécois », 1976, 119 p.

Feu à volonté. Recueil d'articles, Montréal, Leméac, collection « Documents », 1976, 289 p.

Danielle, ça va marcher. Propos de Danielle Ouimet recueillis par..., Montréal, Stanké, 1976, 175 p.

Feu sur la télévision. Recueil d'articles, Montréal, Leméac, collection « Documents », 1977, 174 p.

La sablière. Roman, Montréal, Leméac, 1979, 212 p. [En coédition avec Robert Laffont]. Adapté à l'écran par Jean Beaudin, en 1985, sous le titre : *Mario* ; Montréal, Leméac, collection « poche Leméac Québec » [sous le titre : *La sablière, Mario*] ; translated by David Lobdell, Toronto, Oberon Press, 1985, 175 p. [sous le titre : Mario A Novel] ; collection « Bibliothèque québécoise », 1990.

Le veau dort. Théâtre, présentation d'Yves Dubé, Montréal, Leméac, collection « Théâtre », 1979, xv, 121 p. [Créé en 1963].

Les contes du Sommet-Bleu, Montréal, Éditions Quebecor, collection « Jeunesse », 1980, 106 p.

L'armoire de Pantagruel. Roman, Montréal, Leméac, collection « Roman québécois », 1982, 138 p.

Maman-Paris, Maman-la-France. Roman, Montréal, Leméac, collection « Roman québécois », 1982, 344 p. ; Montréal, Leméac, collection « poche Leméac Québec », 1986, 344 p.

Deux mâts, une galère, Montréal, Leméac, collection « Vies et mémoires », 1983, 136 p. Photos. En collaboration avec Édouard Jasmin, son père.

Le crucifié du Sommet-Bleu. Roman, Montréal, Leméac, collection « Roman québécois », 1984, 170 p.

L'État-maquereau, L'État-maffia. Pamphlet, Montréal, Leméac, 1984, 95 p. [Préface d'Yves Dubé].

Une duchesse à Ogunquit. Roman, Montréal, Leméac, collection « Roman québécois », 1985, 190 p. ; collection « Bibliothèque québécoise », 1993.

Des cons qui s'adorent. Roman, Montréal, Leméac, collection « Roman québécois », 1985, 190 p.

Alice vous fait dire bonsoir. Roman, Montréal, Leméac, collection « Roman québécois », 1986, 144 p.

Une saison en studio. Récit, Montréal, Guérin littérature, 1987, 207 p.

Safari au centre-ville. Roman, Montréal, Leméac, collection « Roman québécois », 1987, 165 p.

Pour tout vous dire. Journal, Montréal, Guérin littérature, collection « Carrefour », 1988, 466 p.

Pour ne rien vous cacher. Journal, Montréal, Leméac, collection « Vies et mémoires », 1989, 456 p.

Le gamin. Roman, Montréal, l'Hexagone, collection « Fiction », 1990, 177 p.

Comme un fou. Récit, Montréal, l'Hexagone, 1992, 200 p.

Études

[En collaboration], *Claude Jasmin*. Dossier de presse 1960-1980, Sherbrooke, Bibliothèque du Séminaire de Sherbrooke, 1981, 88 p.

[En collaboration], *Claude Jasmin*. Dossier de presse 1965-1986, Sherbrooke, Bibliothèque du Séminaire de Sherbrooke, 1986, 73 p.

Cantin, Pierre, Normand Harrington et Jean-Paul Hudon, *Bibliographie de la critique de la littérature québécoise dans les revues des XIXe et XXe siècles*, Ottawa, Centre de recherche en civilisation canadienne-française, Université d'Ottawa, 1979, vol. IV, p. 643-648.

Dorion, Gilles, « *La Sablière* », *Québec français*, n° 37 (mars 1980), p. 9.

[Dossier Claude Jasmin], *Québec français*, n° 65 (mars 1987), p. 30-39 : Yvon Bellemare et Gilles Dorion, « Entrevue avec Claude Jasmin », p. 30-32 ; Gilles Dorion, « L'œuvre de Claude Jasmin. Un album de famille », p. 33-35 ; Yvon Bellemare, « Charles Assselin, l'as des as », p. 36-38; Aurélien Boivin, « Bibliographie » et « Biographie », p. 39.

L'Hérault, Pierre, « Claude Jasmin. *La Sablière* », *Livres et Auteurs québécois* 1979, p. 52-54.

Table

Présentation 7

Une duchesse à Ogunquit 15

Chronologie 259

Bibliographie 261

Parus dans la
Bibliothèque québécoise

Jean-Pierre April
CHOCS BAROQUES

Hubert Aquin
JOURNAL 1948-1971

Philippe Aubert de Gaspé
LES ANCIENS CANADIENS

Noël Audet
QUAND LA VOILE FASEILLE

Honoré Beaugrand
LA CHASSE-GALERIE

Marie-Claire Blais
L'EXILÉ suivi de
LES VOYAGEURS SACRÉS

Jacques Brossard
LE MÉTAMORFAUX

Nicole Brossard
À TOUT REGARD

André Carpentier
L'AIGLE VOLERA À TRAVERS LE SOLEIL
RUE SAINT-DENIS

Denys Chabot
L'ELDORADO DANS LES GLACES

Robert Choquette
LE SORCIER D'ANTICOSTI

Laure Conan
ANGÉLINE DE MONTBRUN

Jacques Cotnam
POÈTES DU QUÉBEC

Maurice Cusson
DÉLINQUANTS POURQUOI?

Léo-Paul Desrosiers
LES ENGAGÉS DU GRAND PORTAGE

Pierre Desruisseaux
DICTIONNAIRE DES EXPRESSIONS QUÉBÉCOISES

Georges Dor
POÈMES ET CHANSONS D'AMOUR ET D'AUTRE CHOSE

Madeleine Ferron
CŒUR DE SUCRE

Guy Frégault
LA CIVILISATION DE LA NOUVELLE-FRANCE 1713-1744

Jacques Garneau
LA MORNIFLE

Rodolphe Girard
MARIE CALUMET

André Giroux
AU-DELÀ DES VISAGES

Jean-Cléo Godin et Laurent Mailhot
THÉÂTRE QUÉBÉCOIS (2 tomes)

Lionel Groulx
NOTRE GRANDE AVENTURE

Germaine Guèvremont
LE SURVENANT
MARIE-DIDACE

Anne Hébert
LE TORRENT
LE TEMPS SAUVAGE suivi de
LA MERCIÈRE ASSASSINÉE et de
LES INVITÉS AU PROCÈS

Louis Hémon
MARIA CHAPDELAINE

Suzanne Jacob
LA SURVIE

Claude Jasmin
LA SABLIÈRE - MARIO

Félix Leclerc
ADAGIO
ALLEGRO
ANDANTE
LE CALEPIN D'UN FLÂNEUR
CENT CHANSONS
DIALOGUES D'HOMMES ET DE BÊTES
LE FOU DE L'ÎLE
LE HAMAC DANS LES VOILES
MOI, MES SOULIERS
PIEDS NUS DANS L'AUBE
LE P'TIT BONHEUR
SONNEZ LES MATINES

Michel Lord
ANTHOLOGIE DE LA SCIENCE-FICTION
QUÉBÉCOISE CONTEMPORAINE

Hugh McLennan
DEUX SOLITUDES

Antonine Maillet
PÉLAGIE-LA-CHARRETTE
LA SAGOUINE

André Major
L'HIVER AU CŒUR

Guylaine Massoutre
ITINÉRAIRES D'HUBERT AQUIN

Émile Nelligan
POÉSIES COMPLÈTES
Nouvelle édition refondue et révisée

Jacques Poulin
LES GRANDES MARÉES
FAITES DE BEAUX RÊVES

Marie Provost
DES PLANTES QUI GUÉRISSENT

Jean Royer
INTRODUCTION À LA POÉSIE QUÉBÉCOISE

Gabriel Sagard
LE GRAND VOYAGE DU PAYS DES HURONS

Fernande Saint-Martin
LES FONDEMENTS TOPOLOGIQUES DE LA PEINTURE
STRUCTURES DE L'ESPACE PICTURAL

Félix-Antoine Savard
MENAUD, MAÎTRE DRAVEUR

Jacques T.
DE L'ALCOOLISME À LA PAIX ET À LA SÉRÉNITÉ

Jules-Paul Tardivel
POUR LA PATRIE

Yves Thériault
L'APPELANTE
ASHINI
KESTEN
MOI, PIERRE HUNEAU

Michel Tremblay
LE CŒUR DÉCOUVERT
DES NOUVELLES D'ÉDOUARD
LA DUCHESSE ET LE ROTURIER
LA GROSSE FEMME D'À CÔTÉ EST ENCEINTE
THÉRÈSE ET PIERRETTE À L'ÉCOLE DES SAINTS-ANGES

Pierre Turgeon
LA PREMIÈRE PERSONNE
UN, DEUX, TROIS

Achevé d'imprimer
en mai 1993 sur les presses
des Ateliers Graphiques Marc Veilleux Inc.
Cap-Saint-Ignace (Québec).